何から始めれば
いいかがわかる

# 最高の学び方

ベネッセコーポレーション
飯田智紀

ダイヤモンド社

# はじめに

「私は、何を学んだらいいですか？」

「何を、どう学べばいいか、わかりません」

「私にとってベストだと思う学びや、学び方を教えてください」


私は２０１８年より、ベネッセコーポレーション（以下、ベネッセ）にて、Udemy（ユーデミー）という動画学習プラットフォームサービスの日本事業責任者をしています。

このUdemyは、米国Udemy社が提供する、世界中で６９００万人以上の人が学ぶ、世界最大級の動画学習プラットフォームです。ベネッセは、２０１５年より日本における戦略パートナーとして独占的業務提携をしており、私はその事業責任者になります。


そのため、「動画学習プラットフォームの事業責任者なのであれば、何をどう学べばいいか困っている自分に、正解や何かヒントをくれるだろう」と多くの方が期待を抱き、これらの質問や疑問を投げかけてきます。しかし、そのたびに私は回答に悩みます。

なぜなら、一人ひとりの「最高の学び方」は実に多様で、同じ人でもライフステージやライフスタイル、キャリアの変化などに応じて、刻一刻と変わっていくからです。これは、学び続けている方々のお話だけでなく、Udemyで教えている講師さん、そして企業事例を伺っているとよりいっそう感じますし、何より私自身もそうです。

なかには高い目標を自ら掲げ、そこから逆算でコツコツと積み上げたり、計画的な学び方ができる人もいます。また、一定期間、短期集中で一気にギアを上げて学んでは休む、を繰り返す方もいます。

ときには、必要に迫られ、致し方なく学ぶこともあれば、仕事を通じてやり続けている中で気づいたら学んでいた、ということもあるでしょう。

こんなことを言ったら元も子もないかもしれませんが、どれも「その時」のあなたにとっては「最高な」学び方だったのだと思いますし、ゆえにどれも正解なんだと思います。

なので、ぜひ「学び方」の正解を求めるのでなく、自分に合った自分らしい「学び方」を探索したり、それが進化し続けるプロセスを含めて学びを通じ、毎日を少しでも豊かにしてほしい……。その一助になるような情報発信ができないか。そう思い、私は、今まで見聞きしてきた「最高の学び方」を、事業をともにする仲間たちと一緒に本にまとめることにしました。

なお、この本の特長でもあり、ぜひ推奨したいのは「好きなところ・興味を持ったところ」から読む、という読み方です。Udemyでは「つまみ食い学習ＯＫ」と言っていますが、講座を全部受講することがゴールなのではなく、学んでそのスキルを発揮したり、インプットしたことを活かしてアウトプットをすることがゴールです。実際に、Udemyで学んでいる方はピンポイントで学んで実践に活かしています。したがって、この本もそのように活用をしていただければ幸いです。

第1章では、「ほとんどの人が勘違いしている、学びの五つの誤解」とし、学びに関して多くの人が無意識に考えている誤解を紹介します。

第2章では、ベネッセがおこなったインサイト調査をもとに、自分だけの「学び」エンジンを見つけるヒントをご紹介します。

第3章は、私の過去の失敗談も紹介しつつ、この本を手に取ったみなさんに「学び」が続くヒントをお届けしたいと思って書きました。

第4章は、よりよい「学び」を始めるコツとし、Udemyの使い方をご紹介しつつ、少し具体的な方法を紹介しています。

最後の第5章では、組織に視点を移し、組織が個人の「学び」のためにできることを、実際の事例を踏まえながらご紹介しています。

また、各章の合間には、コラムとしてさまざまな経験を経ながら、ご自身なりの「最高の学び方」を実践している方々のインタビューを紹介しています。

人生100年時代といわれていますが、予測できない環境変化が世界中で、また身近にも起き続ける昨今。将来や明日以降の生活に対して何かモヤモヤするな、もしくは不安を感じるな、と思ったら、それは学びをスタートするサインかもしれません。

今日が一番若い、ともいいますが、始めるならより若いほうがその学びを活かせるのは言うまでもありません。この本を手に取ってくださった今、この時点から、ぜひご自身にとっての「最高の学び方」を知る旅を、一緒にスタートしましょう。

Contents

第2章
# 自分だけの「学び」エンジンの見つけ方

# 第3章 何を・何のために？「学び」が続くヒント

# 第4章 よりよい「学び」を始めるコツ

# 第5章 組織が個人の「学び」のためにできること

Contents

# 第1章

# ほとんどの人が勘違いしている学びの五つの誤解

# 「学び」について多くの人が勘違いしている

「どんなマインドで学ぶか」「どういう考え方で学ぶか」の前に、学びに関して多くの人が誤解しがちなことからお伝えしたいと思います。

突然ですが、次のチェックリストを見て、「そうだ」あるいは「そうだと思う」ものにチェックを入れてください。

□正直、社会人になってからちゃんと学んでいない
□何を学ぶかがわからないから、動けない
□楽しくないと続かない
□やるからには、ちゃんと成果を出すべきだ
□学びは自分を変える・リセットするためのものだ

いかがでしょうか。

ほぼ全員の方が、一つ以上チェックがつくはずです。五つの項目全部にチェックがついたという人もいるでしょう。

実はこれ、「学びに関するよくある誤解」をリストにしたものです。

学びに関してなんらかの悩みを持っている人は、リストのどれかにチェックを入れている可能性が高く、まずは五つのリストにある「誤解」を解くことから始める必要があります。

この五つの誤解については「聞けば確かにそうだよねという話ですが、そういえば会社の研修でも教わったことがなかった」とか、「これまでそんなふうに考えたことがなかったので目から鱗でした」といった感想をいただいています。

一つずつ見ていきましょう。

# 社会人の3分の2は、この1年で学んでいない⁉

ベネッセでは、毎年、社会人を対象に「社会人の学びに関する意識調査」をおこなっています。

2023年も、全国の18歳から64歳までの男性・女性の社会人、約4万人に対して調査を実施しました。

すると、全体の34・5%の人が「学生時代を除いて直近1年間に何か学習したことがありますか」という質問に対し、「学習し続けている」と答えています(以後、これらの人々を「学んでいます層」と呼びます)。また、13・5%の人が「これから学びたい」(同じく「学ぶつもり層」)と思っていることがわかりました。

合計で48%、つまり約半数の人が今「学んで」いるか、「学び」に意欲を持っているという結果は、社会人向けの教育事業に力を入れている私たちにとって、とても励みになり、さらに事業に注力していこうという決意を強めるものでした。

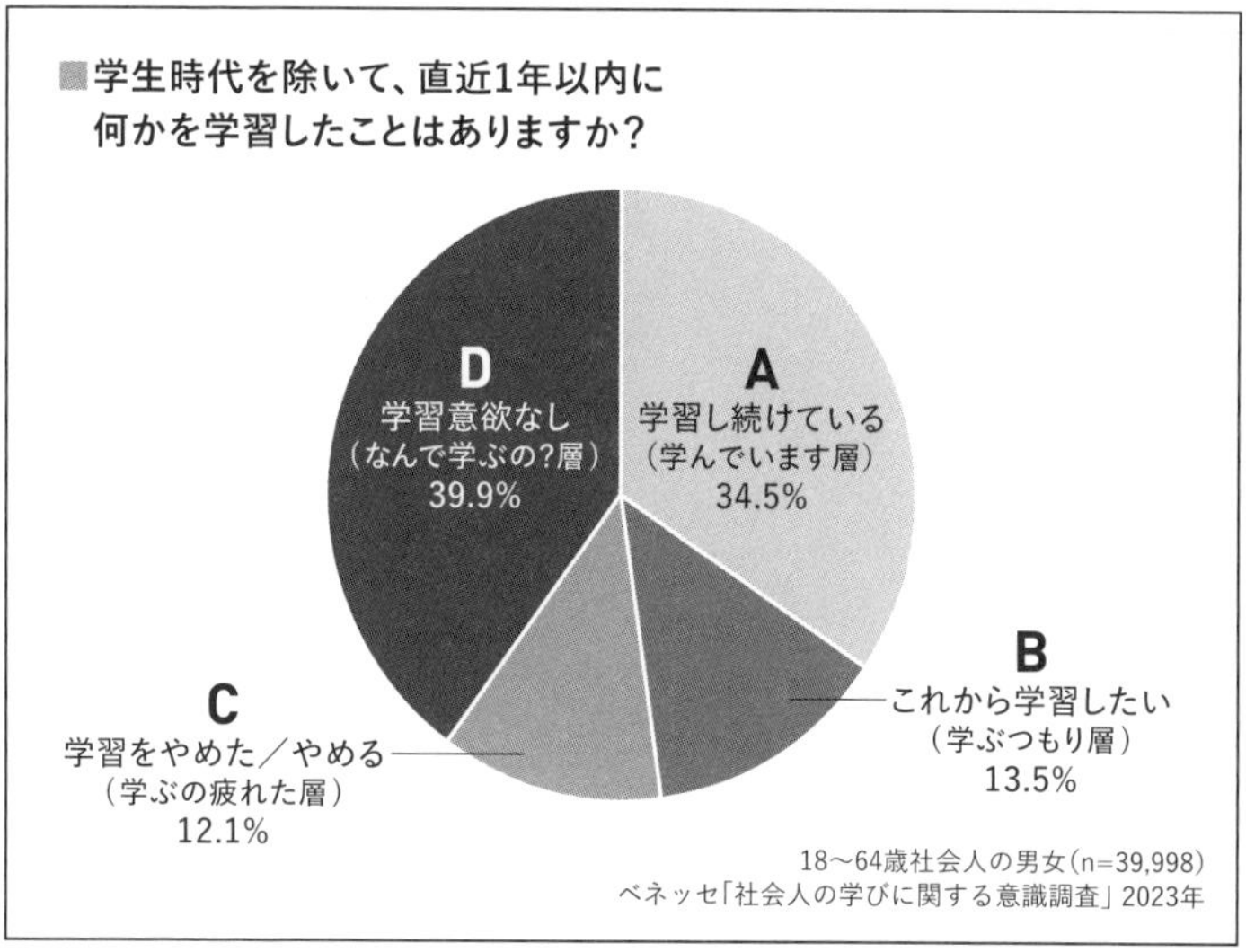

18〜64歳社会人の男女（n=39,998）
ベネッセ「社会人の学びに関する意識調査」2023年

一方で「学んでいない」という点に着目してデータを眺めると、39・9％の人が「学習意欲なし」と答え、「学ぶの疲れた層」の12・1％、「学ぶつもり層」と合わせると65・5％になります。

社会人の約3分の2が、現在、学んでいないという結果です。本当にそうなのでしょうか？

定量調査では拾い切れない別の本音が隠れているのではないか――。私たちは2023年秋に、もう一つの調査をおこなうことにしました。

「生活者理解のためのインサイトリサーチ」（以下「インサイトリサーチ」）です。

インサイトとは、本人も気づいていない無自覚な欲求や心の奥深くに隠された心理のことです。インサイトにはその人が感じている価値・不満・未充足欲求の3種類があり、隠れた不満や未充足欲求は直接聞いても答えられないことが多いため、今回は「学び」に関するポジティブな体験価値をヒアリングし、その体験価値から相対的に見た隠れた不満や未充足欲求をあぶり出そうと試みました。

目的はズバリ「『人はなぜリスキリングしないのか？』をひもとく」です。

目的を「社会人の学び」ではなく「リスキリング」にしたのには、理由があります。先ほど紹介した「社会人の学びに関する意識調査」で、「リスキリング」の認知率は全体で56％と、2022年の23％から2倍以上上がり、社会人の2人に1人は「リスキリング」という言葉を知っているという環境になりました。

これは、2020年のダボス会議で発表された「リスキリング革命」を受け、日本政府が2022年秋、「リスキリングの支援に5年で1兆円を投じる」と表明し、多くのメディアに取り上げられ、国を挙げてリスキリング支援の環境が醸成されてきた結果ともいえます。

ベネッセの調査では、「リスキリング」を必要だと感じている人は社会人全体で56％でしたが、その中で実際に取り組んでいる方は約1割という結果がわかりました。「リスキリング」は一定数の人に認知されている。社会人にとって、リスキリングの必要性も感じられている。しかし、実際に取り組んでいる方は多くない……。このギャップは何なのか、その理由はどこにあるのか。これらを探るため、「リスキリング」という言葉を使い、調査を進めてみました。

その結果から、ある事実が見えてきました。

誤解1

# 正直、社会人になってからちゃんと学んでいない

「正直、社会人になってからちゃんと学んでいない」

この項目にチェックした人は、本当は学んでいる人です。

学んでいるという自覚や実感がないため、「学んでいない」にチェックをしてしまっている可能性が大なのです。

たとえば、インサイト調査に協力してくれた、30代のAさん。彼女は、職場の上司に言われて仕方なく資格を取ったといいます。

Aさんは自分のことを「ちゃんと学んでいない」と回答しました。

なぜなら、上司から押しつけられたこと＝やりたくない業務だと思い込んでいたから。

学ぶ＝自発的におこなうものだという先入観があったため、学んでいる自覚がなかったのです。

「ちゃんと学んでいない」にチェックをした20代のBさんは、会計の勉強を学校などには通わず、YouTubeを視聴したり、図書館で借りた本を読んだりしながら、独学で続けています。

独りで黙々と勉強する姿はすばらしく、誰もができることではないと思いますが、Bさんにとっては、お金がなかったからやむを得ずそうしたにすぎません。学校に行く、通信教育を受けるといったお金をかけてやる＝ちゃんと学ぶと誤解していたため、自分は「ちゃんと学んでいない」と思っていたのです。Bさんは「資格を取る予定はないから」という理由で「ちゃんと学んでいない」にチェックをしたとも回答しました。

言うまでもなく、資格取得だけが学びではありません。

上司や会社から押しつけられた「やりたくないこと」、金銭的に余裕がなく無料の教材を活用しておこなう独学、忙しくて時間がないから朝1分しかできない練習、興味を持って調べてみただけの行為など、すべてが実は立派な学びです。

AさんやBさんのように、知らず知らずのうちに学びのハードルを上げてしまってはいませんか？

「思っているよりも自分は学んでいる」という事実に目を向けましょう。

誤解 2

# 何を学ぶかがわからないから、動けない

学びについて一番多く耳にする悩みは、「何を学んでいいかわからない」です。

特に、30代以降の比較的仕事に余裕が出てきた人たちが口にする言葉です。

20代は目の前の仕事をこなすのに精一杯で、学びについて考えたことさえなかったという人も少なくありません。30代になって、ふとこれからの仕事や人生を考えたときに、多種多様な選択肢があることを知り、迷い、どうしていいかわからなくなる。かつての私もそうでした。

しかし、実はこれも大きな誤解の一つです。

何を学んでいいかわからないのは当然のことです。選択肢＝可能性なのですから。

たくさんの可能性が目の前にあるからこそ、

「何を学ぶかがわからないから、とりあえず決めて、動く」のが大事です。

これはたくさん失敗も重ねてきた自分の経験からですが、動くことでしか「学ぶべきこと」の解像度は上がりません。

今の自分に関係がありそうなこと、なんとなくおもしろそうなこと、流行っていることと、将来の役に立ちそうなこと、理由やきっかけはなんでもかまいません。気になったらやってみて「あれ？　違うな」と思ったら、やめて次に行けばいいのです。

自分がこれだと思うものが見つかればラッキーというくらいの気軽さで、トライアンドエラーを繰り返していきましょう。

余談ですが、私も過去もがいていたときは、今までの自分であれば積極的にはやらなかったことに、あえて手を出してみました。たとえば、やけ酒を飲んだり、サーフィンをしてみたり、普段はまったく聴かないミュージシャンのコンサートに行ったり、さらには弁当男子になってみたりと、いろいろとさまよいました（笑）。また、知人から「悩んだときは、付き合う人か住む場所か働く環境を変えるといい。どれか一つ変えるだけでも、大きな変化があるから」と言われ、一度にすべてを変えてみたこともあります。今なら笑い話ですが、振り返ってみると、その経験があっての今だな、と心から思います。みなさんも私の経験を教訓に、ぜひ気楽に何かチャレンジしてみてください。

「やりたいこと」がある人も同じです。

「思っていたのと違う」など、何か自分にとってしっくりこないのであれば、無理に続ける必要はありません。ある程度で「見切る」意識を持って動くことも大事な「学び」です。

考えれば考えるほど悩みは深くなり、足は重くなります。まずは動くこと。まずは少しでもいいから動くこと。「動いてみよう」と思うだけでもいいかもしれません。たとえば私の場合、不安はありますが、モヤモヤはあまりありません。それは、常に自分のモヤモヤを分解してその解像度を上げ、その中で自分がコントロールできるものだけに対応しようと意識しているからかもしれません。続けられなかったという失敗をしたとしても「今の自分には、その学びは不要だった」という大きな学びがあります。どんどん新しいことにチャレンジしてみてください。

## 誤解3

# 楽しくないと続かない

先ほどの30代Aさんのように、資格取得を上司に言われて仕方なくやっている「やらされ仕事」だと思ってしまうと、資格を取ったら終わり、それ以上関心を持って学ぶことはありません。

でもこの考えは、私は少しもったいないと思います。

学びそのものは、最初から楽しいものばかりではありません。

スポーツだとわかりやすいと思います。水泳であれば、息を止めて顔を水につけて体が浮くようになる練習は、どちらかといえば苦しいはずです。水の中で体が浮いてバタ足をすると少し前に進んだ。こんな具合で泳ぎらしい動きができるようになって初めて、水泳のおもしろさを感じるのではないでしょうか。

私の場合、会計がそうでした。

最初は、会計が楽しいという人は（失礼ながら）よっぽど数字が好きな人なのかなと思っていました。

会計の基本知識である簿記を学び、実際に手を動かして経費の仕訳作業を経験しているときは、正直、楽しいとも苦しいとも思いません。

気持ちとしては、完全に「無色」でした。

しかし、無の感情で、淡々と作業を繰り返していくうちに、だんだんと見える世界が違ってきたのです。

伝票一つの処理の仕方にも工夫があることや、何よりそれらを週次・月次・四半期・年次と積み重ねることで「事業や経営が数字の面から立体化」していく様に、興奮を覚えるようになりました。これまで「無色」で「作業的」だった簿記や会計の学びが突然、カラフルに見えてきたのです。

インプットとアウトプットがつながった瞬間とでも言いましょうか、「これを武器にできるプロフェッショナルになってみたい」と関心を持ち、そのときに初めて会計っておもしろいなと思ったのです。

このように、最初は苦しいもの、しんどいもの、もしくはまったく感情が動かされないものもあるでしょう。では、なぜそのつらさに耐えられるかというと、学びを通じて良質な経験を得ることでしか見えない世界があるから。これこそが「学びの醍醐味」だと思っています。

もちろん、最初から楽しい学びもあります。それはそれですばらしいことですが、楽しくないとダメ、楽しくなければ続かないというのは、一概にはいえません。

むしろ「いつか楽しくなる日がくるかもしれない、きたらラッキー」くらいの軽い気持ちでいるほうが、いつか「最高の学び」に出会えるかもしれません。

## 誤解4

# やるからには、ちゃんと成果を出すべきだ

先ほど、上司に言われて独学で資格を取った30代のAさんの例をあげました。

Aさんは、お昼休みの休憩時間も同僚が談笑しているのを横目に、ひたすら勉強に励んでいました。Aさんは、当時のことを「誰にも言えず、応援もされない」「スキルがないぶん、真面目さをアピールしようとした」と回答しています。

もともと上司から「押しつけられた」勉強です。ただでさえ苦痛なのに、孤独という苦痛も加わったのです。それでもなんとか勉強を続けて、見事資格を取ったのですが、Aさんの念頭にあったのは、もっと難しい資格を取った優秀な同僚の存在でした。

ついつい自分と比較してしまい、うれしいとは感じられなかったのだそうです。

結果としてAさんは資格を取って昇給しました。私から見ればすごいことですし、「学びの成功体験」として語られそうなエピソードですが、Aさんのインサイトをひもとくと、当の本人はそうは思っていませんでした。

上司からの圧力でストレスにさらされ、自分に自信を持てずに同僚と比較して落ち込み、職場では本音を話せず、資格を取っても達成感はなく、自分が成長したという実感も持てない……。そんな悲しい結果となったわけです。

はたから見れば成功物語そのもののはずなのに、Aさんにとって資格取得は「成果なし」、それもあって学びを実感できませんでした。

Aさんは学びの成果として昇給を果たしましたが、本当に望んでいたことは、「学び」で転職するような、もっと大胆な転身でした。

学びと成果は、必ずしも一致するものではありません。

どちらかといえば、「学んでも成果なし」のほうが普通かもしれません。

資格を一つ取ったところで、給料や評価がすぐに変わることはありません。

資格を取り、そこで得た知見を次の仕事に活かしていくことで新しいキャリアのチャンスをつかんだり、報酬アップにつながったり……。

成果はあとからついてくるものですから、成果を求めすぎないことも大切です。努力をしたプロセスや、がんばり抜いた経験が、のちの成功につながることもあります。

誤解5

# 学びは自分を変える・リセットするためのものだ

リスキリングは「学び直し」と表現されることが多いからか、学ぶことで自分をリセットする、学びで新しい自分になる、といった「学び＝変化」というイメージをお持ちの方がいます。ただ、ベネッセでは「学び」を少し違う視点から捉えています。

私たちが考えるリスキリングは、学び＝自分を変えるのではなく、あくまで自分は自分のまま。そこに学びを足していくイメージです。

たとえば、高い専門性があればよいのかというと、必ずしもそうでないことがあります。税理士のCさんは、20年飲食店で働いていた経験を活かし、飲食店や飲食店で働く人たちのための税理士として活躍しています。

このように自分の得意分野や強み、経験を組み合わせていくことで、希少性の高いオンリーワンの人材になり、同業他社との競争にも差別化ができます。

「DX時代の人材戦略こそがリスキリングだ」などといわれてきたこともあり、40代、

■リスキリングとは？

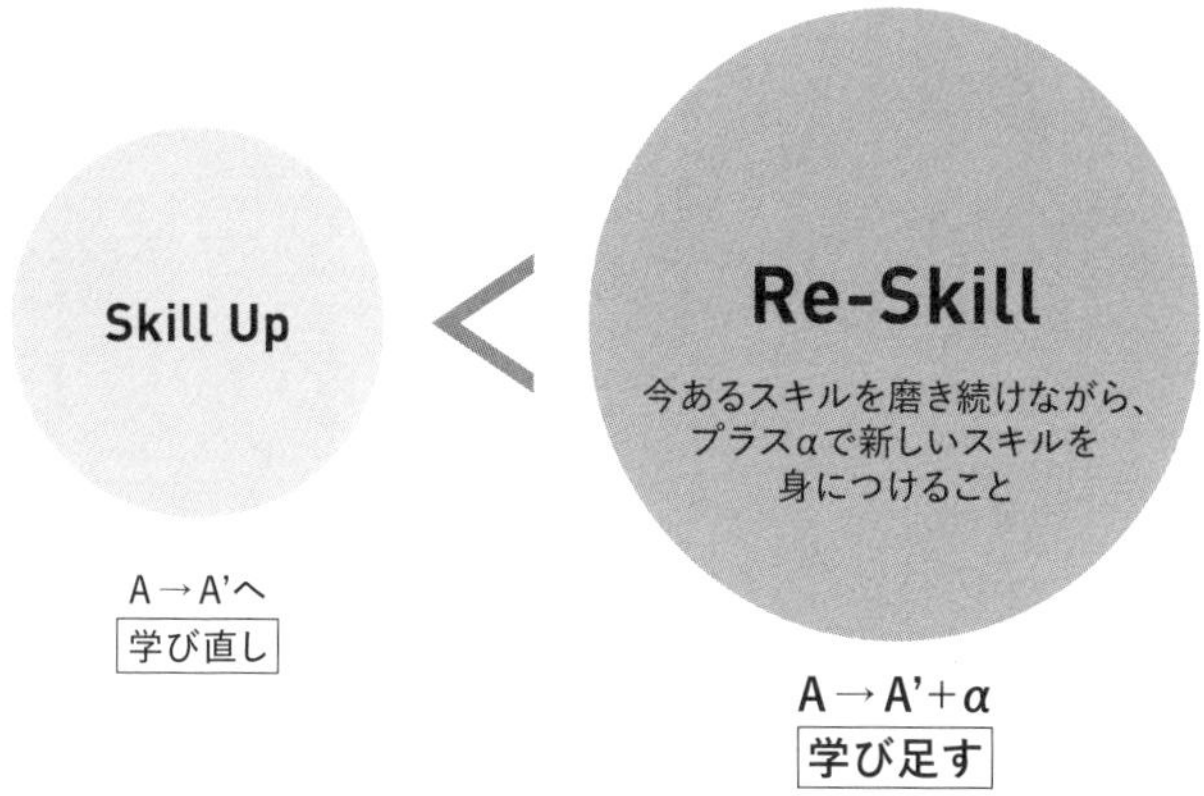


ベネッセの資料をもとに作成

50代の中には、「学び」そのものに強い抵抗を示す人が一定数存在します。その裏には「これまで積み上げてきた自分のキャリアやスキルを全否定される恐怖」が隠されています。

学び＝リセットと捉えると、自分をいったんゼロにしなければならないのかと不安になるのは当然です。

ベネッセのインサイトリサーチでも、同様の調査結果がありました。「リスキリングしなさい」と押しつけられると、まるで今の自分が「そのままでは通用しませんよ」と「否定されている」ように感じる、ということです。

# 「細くて弱い専門性」を何本も束にする

新しい分野の「学び」が必要なのは、あくまで企業や組織の都合であって、自分のこれまでの蓄積を考えて言ってくれているわけではない。過去の自分はあっさりと否定され、企業や組織が求める通りにスキルを上書きされているだけ。そう感じる人もいます。そして、いつまでたっても自分が肯定されることはなく、永遠に、否定されては新たな学びを求められることが繰り返し続いていく。今までもそうだったし、これからも同じだ……多くの人が、「学び」で、いっそう縛りつけられる感覚にとらわれるというのです。

しかし、自分は自分のままでいいのです。上書きではなく、増設していく。

今の自分に足し算をしていくのですから、リセットする必要などありません。

むしろ組み合わせを考えると、学びや経験は複数あるほうが強くなるでしょう。そういう意味では経験を増やしていくために何かを手放して余白を作ってみたり、二つ三つ、複数の学びを続けて、柱を複数作っていくほうが、これからの時代に合ったやり方ではないでしょうか。

この本で紹介する「学びでうまくいった人々」も、おそらく専門性が一つだけではなく、二つ目、三つ目とか四つ目みたいな感じで、ピボット（方向転換）しているケースが多いようです。私自身、「細くて弱い専門性」を、3、4本束ねることでユニークな線になっているだけです。

1本1本をはがしてみたら、スキルは弱いんです。でも、これらを束ねて線にしたときに強くなり、ちょっとユニークになるのです。

ある環境においては、あたりまえのように同じスキルの束を持っている人がたくさんいるはず。そういう環境にあえて自分を置き、切磋琢磨しにいくやり方もあるし、そういう人が存在しないマーケットに自分を置いて希少性を出して、逆にチャンスをたくさんもらうというやり方もあります。どちらが正解ということではなく、選び方次第です。

# 五つの誤解からわかる、学びを始める上で大切なこと

五つの誤解、すべてにいえることは、学びに対する高いハードルです。
「〜でなければいけない」といった完璧さを求めてしまうと、学びはどうしても息苦しいものになってしまいます。

大切なことは、とりあえずやってみること。
フットワークと心の軽さだと私は考えます。

なんとなくやってみる、違ったらやめる、成果は気にせず、一つじゃなくて複数やってみる。自分を変える必要もない。このくらいでいい、いや、このくらいがちょうどいいのではないでしょうか。

# インサイトリサーチで明らかになった「学びに必要なもの」

インサイトリサーチでは、リスキリングに対する不満や不安など、ネガティブな価値観や感情の正体を探っていくと、ある課題に気づきました。

それは、「主体性」です。「学び」以前に、自分で自分のことが決められないことに問題やストレスがあったのです。


調査では、リスキリングに対する人々の本音を知るために、調査手法として、「学び」に関するポジティブな体験価値をヒアリングし、その体験価値から相対的に見た、そこから隠れた不満や未充足欲求をあぶり出そうと試みました。

この結果を丁寧に読み解くと、そこには、心の底で実は充たしたいと思っていた、ポジティブな気持ちが宿っていることがわかってきました。

インサイト調査に協力してくれた40代の研究職のDさんのコメントを紹介します。

私は、大学院を修了して研究職に就きました。

「専門性を持ち、自分のやりたかったことを仕事にしている」と周囲からは思われていましたが、私自身は自分をあまり知らずに大人になってしまいました。

目の前の仕事を一生懸命こなすことが日常で、自分にかまってあげられていませんでした。「本当は自分が何をやりたいと思っているのか」など、考えたこともありませんでした。

しかし、管理職の立場となり初めて心理学の研修を受けたことで、40代後半にして初めて自分のことを理解できるようになったのです。大きな衝撃を受けました。

これまで自分のことはほったらかしだったことに気づきましたが、学びを経て、自分のことが好きになりました。

Dさんのように、「学び」で得られた想定外の「ギフト」を得る人はたくさんいます。

「みんなの助けになれることがうれしい」
「自分が何かを生み出す側になれるとは想像もしていなかった」
「あきらめかけていた夢と私生活の充実を同時にかなえることができた」

さまざまな声を耳にします。

「学び」は、自身のできることを広げるだけでなく、自分自身をより深く理解したり、自分の人生に「主体性」を取り戻したり、よりいっそう主体的になるキッカケになったりします。きっとこの「主体性」と「学び」がうまく交わると、毎日によりポジティブな感情を持てるようになるでしょう。

# たとえやらされ仕事であっても「しなやかに学ぶ」

「学び」に対してネガティブな気持ちもあるけれども、「学び」でポジティブな気持ちにもなれる。また、さらに前進していくには、やはり「学び」は欠かせない。そう多くの人が気づいているようです。

大事なことは、ただ「学ぶ」のではなく、「学び」を通して自分を知ることが大切だということが、インサイトリサーチからもわかってきました。

企業から、組織から、社会から押しつけられた「学び」ではなく、自分でやってみたいことを選んで「学ぶ」こと。

たとえ上司から言われてやらざるを得ないときでも、きっかけはどうあれ自分の糧にできるか、おもしろがれるか、というような、主体的なしなやかさを持つことも大切です。

そして、それはもちろん、今の自分が否定されるような「学び」では決してなく、今の自分を自分で肯定できる「学び」です。

インサイトリサーチから、私たちは「学び」に対して人々が抱いている多様な価値観・感情を四つに分類し、考察しました。

詳しくは第2章で説明しますが、四つの分類から「人は何によって学びのエンジンが入るのか」が見えてきたのです。

ネガティブな感情は、必ずしも悪いことではありません。「なにくそ！」という思いで、不可能を可能にすることだってあります。

この章で紹介した「学びは楽しくないといけない」という先入観と同じく、「学び」のモチベーションもポジティブでなければいけないという誤解があるかもしれません。詳しくは第2章から展開していきます。

その前に、第1章の最後として、今なぜこれほど「学び」が注目されているのか、改めて現在の社会的な状況を整理していきたいと思います。

社会人を中心とした「大人の学び」が注目されている理由や背景を知れば、それに振り回されず、押しつけられもせず、「自分らしい学び」をきっと見つけられると私は考えます。

# 「人生100年時代」に私たちが必要なもの

個人を取り巻く環境は大きく変わりつつあります。

『ＬＩＦＥ ＳＨＩＦＴ（ライフ・シフト）』（リンダ・グラットン、アンドリュー・スコット著／東洋経済新報社刊）は、人々の寿命が大幅に伸びた人生１００年時代になれば、教育、仕事、引退という、３ステージの人生が成り立たなくなると指摘しました。60代でリタイアしたとしても、１００歳まで生きられれば、残りの約40年のために、第2、第3の人生が待っています。そのために「学び」が必要になるというのです。

人の寿命とは対照的に、企業の寿命は短くなる一方です。

企業の寿命は平均30年といわれていましたが、最新の調査によると23・3年だそうです。経営の環境が厳しくなれば、さらに短くなるという指摘もされています。

新卒で入社し、定年までの数十年間、一つの企業で仕事をするという人生のモデルは、過去のものになりつつあります。企業に終身雇用を期待することはできず、また、働く人もそれを求めなくなってきています。

企業も個人も選び、選ばれる時代となってきたことにより、よりいっそう個人が自分で決断して行動することになります。それは見方によっては厳しい時代ですが、別の見方によっては、自分で自分のことが決められる、自立できる時代がやってきたとも解釈できます。

「自分らしく生きる」「自分らしく働く」ことを追求できる、大きなチャンスを迎えたともいえるわけです。主体性の時代といってもいいでしょう。

この本を読んでくださっている方が20、30代ならば、これから１００歳まで生きるための長期の見通しが必要になるでしょう。40、50代ならば、たとえ今の職場で行き詰まっている気持ちがあったとしても、人生１００年時代のハーフタイムとして、第２第３の人生のための準備期間とも考えられます。

そしてこの変化に気づいているあなたは、すでに動き始めています。

## 企業も人も「学び」で生き残る時代に

これら社会の大きな変化は、「企業と個人との関係」の変化をも引き起こしています。個人は従来のように、企業に従属するものではありません。お互いに「選び・選ばれる」関係になります。

ＩＴの進化により情報交換が活発にできるようになると、以前よりも転職へのハードルが下がりました。労働市場はより流動的になりました。働く個人は、一つの企業に縛られることなく、企業を選んで働けるようになりました。

企業側も同様です。アンテナを張り巡らせることで、以前にも増して幅広い範囲から優秀な人材を集めることができるようになりました。

労働市場という場で、人々は自分のスキルを売り込み、少しでも高く投資してくれる企業を探します。また、普段から自分のスキルを磨くために、「学び」を心がけるようになります。

企業側も、絶えず業界の中での自社のポジションを意識するようになります。優秀な人材が入りたいと思えるよう、あるいは働き続けたいと思えるよう、報酬をはじめ、労働環境を整え、「学び」の環境も整備して、働く人たちに機会を提供しようとします。働く人たちに「選んで」もらえるような条件を揃えようとします。


個人と企業がお互いに切磋琢磨することで、個人が企業にもたらす価値は上がり、企業が個人に提供する労働環境は整備されていきます。

「選び・選ばれる」対等な関係は、労働市場での競争の中でお互いを向上させ、社会に価値をもたらすようになります。そして、「学び」はこの社会構造の中で重要な役割を果たしていきます。

次章ではまず、インサイト調査から見えた、一人ひとりに宿る「学びエンジン」について具体的に見てきたいと思います。

# COLUMN

「学び」の先輩インタビュー❶

# 学びで自分を更新し続ける

## マスカワ シゲルさん

キャリアを自分の力で切り拓いていく……。その代表ともいえる人がマスカワ シゲルさんです。

世界放浪で得た「英語」のスキルを武器に外資系企業に就職し、それを手始めに次々と異質なスキルを学び足しながら、自分の価値をどんどん高めていきました。実践重視で、自ら仕事で得たスキルをもとに、今では、Udemyで講師も務めています。

### ▼5年の世界放浪から帰ってきてぶつかった「就職の壁」

「18歳のとき、バックパッカーとして世界放浪の旅に出ました。それがすべての始まりでしたね」

マスカワ シゲルさんが世界放浪の旅に出たのが、高校を卒業した直後のことでした。世界中の人たちと話をしてみたい。それは子どもの頃からの夢でした。英語を勉強することも好きで、力を入れていましたが、高校生のとき、日本の大学で英語を学んでも、しゃべれない人が大半だと聞き、ショックを受けました。

家庭の事情で大学進学をあきらめざるを得なかったこともあり、それならばと一人で向かったのがアメリカでした。語学学校で英語を学んだのち、オーストラリアに向かい、ワーキングホリデーの制度を利用して働きながら英語を学び続けました。その後、5年をかけて世界放浪の旅に出かけました。

帰国したのが23歳のときです。しかし、日本で働き始めようとしたとき、就職の壁にぶつかりました。

「高卒だったことと、それまでの5年間、何をやっていたのかと問われれば、『遊んでました』としか言えなかったことです。これは不利だなと思いました」

5年の世界放浪は、日本では異色の経験でなかなか理解してもらえません。放浪と聞いてあ然とする面接官に、マスカワさんは「いやー、遊んでいただけですよ」と安心させようとしますが、就職の自己PRにはなりませんでした。

「できたのは英語です。それしかなかったといってもいいかもしれません」

それでも「英語ができます」だけでは、やはりなかなかその価値をわかってもらえません。

「仕事で使える英語」ができることを形にして示さなければとマスカワさんが受けたのが、英検（実用英語技能検定）とＴＯＥＩＣ（TOEIC Listening & Reading Test）でした。

英検は１級の資格を、ＴＯＥＩＣは９８５点という、ほぼ満点を獲得して就職活動に挑みました。

**▼英語のスキルだけでは行き詰まる。簿記の学びを開始**

こうしてマスカワさんが最初に正社員として採用されたのが、日本のシステム会社でした。システムエンジニアとして、英語の仕様書を日本語に翻訳しつつ、システムの設計を進める仕事でした。

２年後には子ども向け英会話教室を展開する会社に転職しますが、そこでも英語のスキルが生きました。さらにその2年後、今度は通訳の組織への転職を果たしますが、そこでも英語が採用の決め手になりました。

社会人としての最初の5年間は、英語を武器に仕事を獲得していったわけですが、この3社目でマスカワさんは転機を迎えます。

「会社の代表から『これから先、英語のスキルだけで食べていくなんて甘いよ』。そんなことを言われたんです。若いうちにもっと違うことをやっておかなければね、と」

当時からITの技術革新はめざましく、いずれ翻訳の仕事はコンピューターや自動翻訳機に取って代わられてしまう――そんなことがいわれていました。

代表は「常に危機感を持って仕事をしなさい」と、まだ20代だったマスカワさんに伝えたかったようです。

マスカワさんも、確かに代表の言うことは一理ある。もう一つ何かスキルを身につけなければと真剣に考え始めました。

「それでドイツ語やフランス語、イタリア語も勉強しました。でも、いろいろやってみて、一番しっくりきたのが簿記でした」

英語の次はほかの語学を、という発想はわかりやすいのですが、簿記とは意外に思えます。なぜ、簿記だったのでしょうか？

マスカワさんの中にぼんやりとイメージとしてあったのが、会社の経営だそうです。「簿記をやったからって、経営ができるようになるわけじゃないんですけどね」と笑いますが、経営の入り口として簿記――経理を位置づけていたようです。

### ▼約1年かけて簿記2級の資格を取得

簿記を選んだもう一つの理由は、資格があることでした。

「5年間の（世界放浪の）ブランクにもかかわらず就職できたのは、英語のスキルがあったからでしたが、それは英検とかTOEICという目に見える形にしたからです。もう一つのスキルを身につけるにしても、資格でそれが担保できれば、なんとかなるんじゃないか。

から」

実際、募集要項などを見ると、『簿記○級以上歓迎』という文面をよく見かけましたから」

マスカワさんにとって資格とは、自分の持つ力を表現する手段です。

マスカワさんは働きながら約1年をかけて簿記2級の資格を取得すると、日本の引っ越し専門会社に転職しました。

「仕事で英語はまったく使いませんでした。それでもこの会社を選んだのは、会計系のキャリアを積まなければ、次が考えられなかったからです。この会社がよかったのは、ほとんどが現金決済で、本当に教科書通りの経理をやっていたことです。経理の実務を、すごくわかりやすい形で学ぶことができました」

経理のスキルを高めなければ、という願いにはピッタリの会社でした。一方、せっかくの英語の力は活かせません。

そこで次に転職したのが海運会社でした。

「ここでは英語と経理という二つのスキルをクロスに使うことができました。この会社の在席中に簿記1級の資格を取ることもでき、これによって経理として文句なしのスキルを手に入れることができました」

英語で経理をおこなう――「英語×経理」という、武器にしたい二つのことを同時にできる仕事に就くことができたわけです。

しかし、この海運会社はリーマンショックで倒産。マスカワさんはいったん日本の会社に転職しつつ、「英語×経理」を活かせるチャンスを探します。

そして次に就職したのが、ドイツ資本の外資系企業でした。まさに英語と経理のスキルを見込まれて転職を果たしたのですが、マスカワさんはこのとき、さらに次のことを考え始めていました。

「経理の仕事とは、過去のお金の流れを把握することです。またこちらの世界でも、自動化の波はじわじわと押し寄せていました」

## ▼「自動化」に負けないスキルを探す

マスカワさんが、次に着目したのがファイナンスでした。

経理もファイナンスも会社のお金を管理する点では共通していますが、経理は会社が使った過去のお金の流れを把握することが目的である一方、ファイナンスは、これから会社がお金をどう使っていくのか――、そのお金をどこから調達するのか――。将来のお金の使い方を考える、経営の意思決定に直結した仕事です。

経理で経験を積んだマスカワさんは、さらにもう一つ前進したくなったのです。

「当時、ちょうど出合ったのがUdemyでした。そこでファイナンスを学ぶことにしたんです。経理からさらに一歩上に行くことで、自分のキャリアも年収も上げられるなと思いました」

ここで見落とせないのは、マスカワさんはもう一つ、英文のレジュメ（職務経歴書）の書き方も学んだことです。

転職の際、特に外資系企業で求められるのが英文のレジュメです。日本の職務経歴書よりもフォーマットが柔軟で、自由に自分の経歴をアピールすることができます。

「もちろん、英文レジュメにもある程度の書き方はありますが、それに沿ってただ日本語の職務経歴書を翻訳しただけでは使えません。求めていたものは『勝てるレジュメ』です。Udemyで海外の講師による非常に実践的な講座を見つけました」

自分のキャリアは自分で切り拓く、というマスカワさんの強い意志がよくわかります。

マスカワさんは講座で学んだことをすぐに実践しました。自分の価値を十分に表現した英文レジュメを作ると、その内容を海外でも広く使われるビジネス特化型SNSであるLinkedIn（リンクトイン）に掲載したのです。

## ▼「企業を選ぶ」のではなく「企業から選ばれる」人材に

マスカワさんはここでさらに一歩踏み出し、外資系のヘッドハンターを活用して次の転職先を探し始めました。

「日本の転職エージェントに登録して活動をしても、どうしても学歴のところで行き詰まっていました。しかし、外資系のヘッドハンターは学歴を問いません。私のような高卒でも面接を受ける資格があるし、手応えがあればもちろん転職もできます。そんなルートがあることもUdemyでの学びがきっかけで知りました。大きな転換点でした」

外資系ヘッドハンターが紹介してくれたのが、通信サービスの外資系企業でした。

①ファイナンスを勉強したこと、②レジュメを魅力的なものにしてLinkedInに掲載したこと、そして、③外資系ヘッドハンターを活用したこと。この三つの戦略が見事ハマったわけです。

マスカワさんは、ファイナンスの専門家として転職を果たし、年収も大幅に上げることができました。

### ▼「非正規ルート」ゆえに、仕事で使える実践的な学びに邁進《まいしん》

その後もマスカワさんは「英語×ファイナンス」を武器に転職を重ね、自分の価値を高めていきました。社会人になってから現在までの約20年間、勤めた企業や組織は全部で11社に及びます。

「高校の同級生のほとんどは大学へ進学し、就職活動もきちんとして就職しましたが、僕の場合はそんな正規のルートはありません。でも、それがなかったから、自分のキャリアは自分で考えなければならなかった。自分が生きていくにはどうすればいいのか、自分を活かすにはどうしたらいいのか。それを常に考えていました」

マスカワさんにとって、学びは欠かせないものでした。ただし、マスカワさんが求めた学びとは、「仕事で使えるもの」――非常に実践的なものでした。

「Udemyやストリートアカデミーを使いましたが、どれも『今日勉強して明日使える』内容の講座でした。インプットからアウトプットまでの時間は常に意識してきました」

20年で11社と聞けば、多くの日本人にとっては、世界放浪と同様、異端な印象を受け

るかもしれません。しかし、マスカワさんにとっては「自分で自分のキャリアを築いていった」証であり、実践の積み重ねの結果です。

マスカワさんならではの「学ぶコツ」をまとめてみると次のようになります。

まず、学ぼうとしている分野や講座に、本当に学ぶ価値があるかどうかを見極めることです。

分野によっては数年がかりで学ぶ必要がありますが、本当にそれだけの時間と労力とお金をかけてやる価値があるのかどうか、仕事で使えるのかどうか、学んだあとに自分がどのようになっているのか、どうしたいのか——。仕事の内容、やりがい、収入などなど、「あらかじめ出口を考えておくべきだ」と言います。

### ▼学んだら「ちょっと実践してみる」で成長スピードが速くなる

「学ぼう」という分野が見つかったあとも、いきなり1年の講座を選ぶのではなく3カ月、3カ月よりは1カ月と、短期間、細切れの講座を見つけ「ちょっとだけやってみる」のがコツと言います。

どんな講座も期待通りというわけではありません。期待と現実のギャップを知り、受け入れられるかそうでないかを早く判断するようにします。自分に合っていなければすぐにやめる決断もします。そして次の講座を探すのです。

「ちょっとだけやってみる」ことを繰り返しながら、自分が求める講座に少しでも近いものを見つけていくようにします。

今の時代は、副業、独立、いろいろな可能性が開けてきました。実際に転職や独立を想定して、数年かけて勉強を続けている人もいます。それに対しても、マスカワさんは「『まずはちょっと実践してみる』が必要なのでは？」と言います。

「自分なりに一番バーの低いところでちょっとやってみる。やってみれば、自分が勘違いしているところもわかるし、逆に思った以上に世界が広がる可能性だってあります。実際にやることと、まったくやらずに考えているだけは全然違います」

やってみれば、ここでも期待と現実のギャップがわかります。それを克服できるのか、そうではないのか。早めに判断ができます。

「さっさと失敗することがコツ」とマスカワさんは言います。

ギャップを知れば、修正も可能です。いきなり壮大な夢や計画に向かって、一発勝負を挑むのではなく、現実にぶつかって修正を重ねていく。そうして小さな成功を積み重ねて、大きな夢に近づいていくのです。

### ▼「会社の中のちょっと詳しい人」というスタンスで講座を開設

マスカワさんは2017年からUdemyの講師も始めました。マイクロソフトのPower PivotやPower BIの使い方など、ビジネススキル講座を提供しています。

講師としての自分は、こんな問題を抱えていた一人と自己紹介し、「会社の中のちょっと詳しい人」というスタンスで講座を作っています。

体系や機能のすべてを伝えるのではなく、「ここがちょっとわからない」という声に、ピンポイントで答えていくようにしています。

マスカワさんの仕事やキャリアと同様に、自身の講座もまた非常に実践的です。自身の学びの経験がここでも活かされています。

Udemyで講師をしていることも、マスカワさんにとっては、ちょっとした実践の延長のようです。

「一つは、自分で何かを作ることを実践してみたかったこと。もう一つは、世の中では何が求められているのか。次に向かう先を見つける材料を探したかったからです」

Udemy講師になった理由をこう明かしていますが、同じ理由で、今は3年計画でMBA取得を目指しています。

より経営に近い仕事を考えているのでしょうか。それとも独立しようとしているのでしょうか。具体的なお話まで聞くことはできませんでしたが、マスカワさんのことですから、MBAの資格を取得しただけで終わらせるはずがありません。

次のステージも、人から見れば波乱万丈、でも当人にとっては、非常に実践的な仕事とキャリアを、マスカワさんは見つけていくに違いありません。

# 第2章

# 自分だけの「学び」エンジンの見つけ方

# インサイトリサーチでわかった「学び」の深層心理

人はなぜ学ぶのでしょうか。あるいは、なぜ学ばないのでしょうか？

せっかく学び始めたのに、なぜ続かないのでしょうか？

「学ばない」人の中には、「何を学んでいいのかわからない」人もいれば、「学ぶことに抵抗を持っている」人もいます。

ベネッセが実施したインサイトリサーチでは、調査に回答した社会人1000人の中から、より代表的な20人を選び出し、リスキリングに対して人が持つ本音を探っていきました。

その結果、人の奥底にはリスキリングを「押しつけられている」と感じる部分があり、どうやらそれは「自分でものを決められない」という、より深い問題があることがわかってきました。

リスキリングに対してはネガティブな印象を感じられている一方、学びを通じた体験自体には価値や充足を感じており、その結果、肯定的に捉えている面も見えてきました。「自分を好きになれた」「みんなの助けになれることがうれしい」と、「学び」で得られた成果を喜ぶ人がいました。（学ぶことで）「あきらめかけていた夢と私生活の充実を同時にできた」という人もいました。

私たちは、代表的な20人の声をもとに、リスキリングに対して感じられている価値を整理することにしました。

そうして行き着いたのが「四つの学びエンジン」です。ぜひご自身の「学びのエンジン」を見つける際のヒントにしてください。

# 四つの傾向に分類できる「学ぶ」理由

人が「学ぶ」動機はさまざまですが、その中でもっとも代表的なものは次の通りです。

・自分に自信を持ちたいから

自信を失いたくないから、自分に負けたくないから、とも言い換えられます。

今回、分析した20人の「学ぶ」理由にも見て取ることができました。

なぜ学ぶのか。

これは何を学ぶのかよりも、ある意味重要です。

なぜならば、学ぶ理由がはっきりすると、モチベーションが上がり、自然とがんばれるからです。

逆に言えば、学びが続かないのは、学ぶ理由がない、学ぶ必然性がないから。

**■4つの学びエンジン**

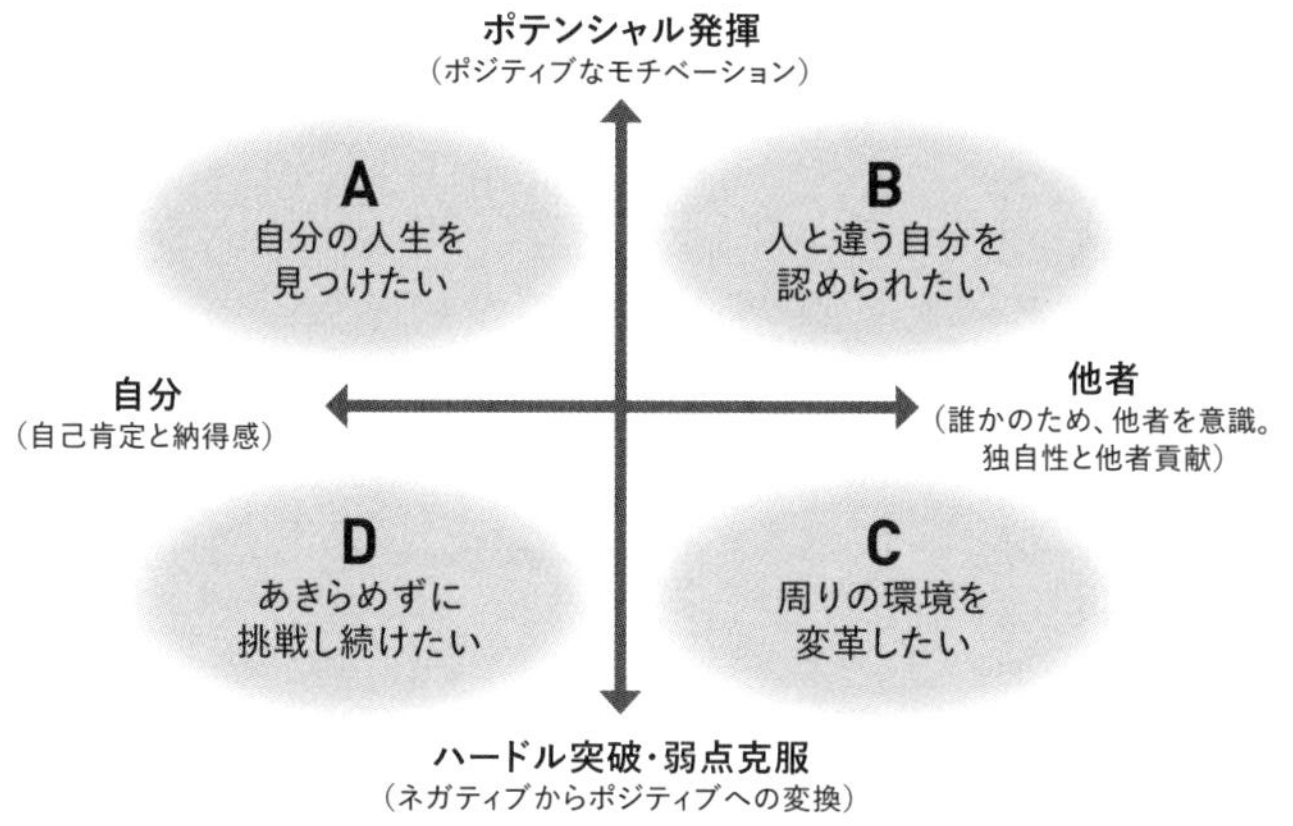


ベネッセ「インサイトリサーチ」をもとに作成

「なんとなくよさそうだから学んでみたものの、どうもしっくりこないからやめてしまった」

こんな悩みを打ち明けてくれた30代のEさん。Eさんはこれまで20以上もの新しい学びに挑戦してみたものの、すべて三日坊主、途中で投げ出してしまったのだそう。「学べば学ぶほど、自己嫌悪に陥るんです」

自信は失われていくばかりでした。

ところがEさん、「四つの学びエンジン」で自分がなぜ学ぶかを明らかにしたところ、急に学びにエンジンがかかり、晴れて三日坊主を卒業できました。

# 「誰のため」「何のため」に学ぶのか

「四つの学びエンジン」の縦軸は、いわば「自分を肯定するための方法」です。

上部は「ポジティブなモチベーションで自分の資質とポテンシャルを発揮」として、持て余していた自分の資質やスキルの活かし方を見出して、生きる指針や目標を得る価値の方向性としました。

どちらかというと、ポジティブなモチベーションです。

キーワードは「もっと」「さらに」「どんどん」。

一方、下部は「ハードル突破や弱点の克服でネガティブからポジティブへ変換」として、自分を縛ってきた劣等感や閉塞感を乗り越え、自分の進む先を開拓する価値の方向性としました。

モチベーションは、ネガティブからポジティブへの変換です。

■4つの学びエンジン［縦軸］

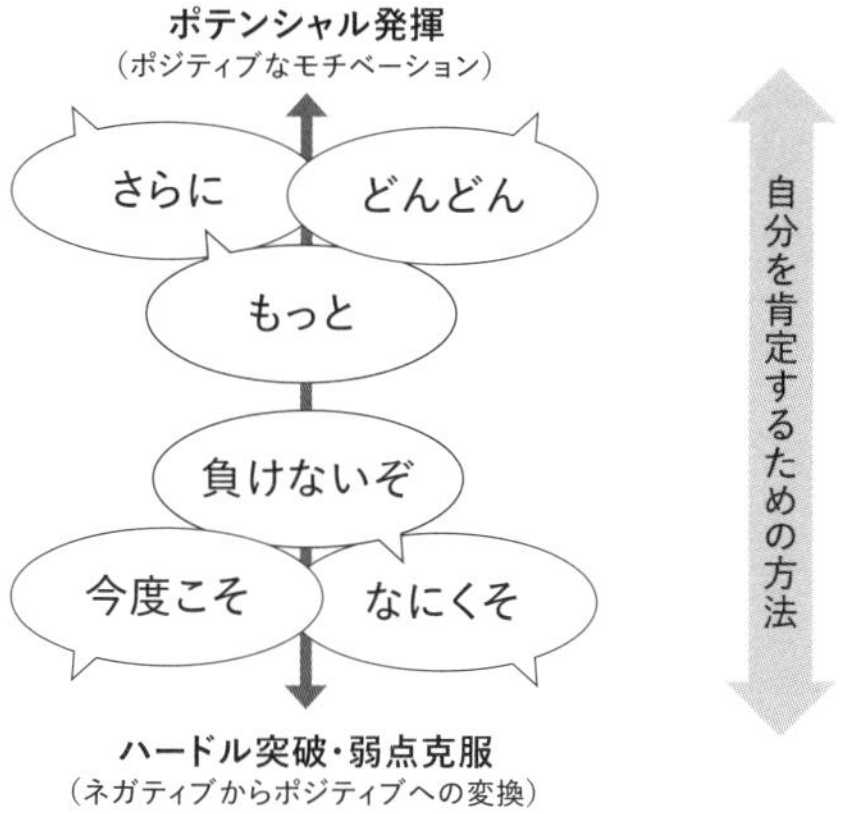


ベネッセ「インサイトリサーチ」をもとに作成

キーワードは「今度こそ」「なにくそ」「負けないぞ」。

パワーの方向性は違えど、どちらにも力強さを感じます。

横軸にとったのが「大切にする視点」です。

左方向に「自分のための学び・自己肯定と納得感」、右方向に「誰かを意識した学び・独自性と他者貢献」としました。

「自分のための学び・自己肯定と納得感」の傾向が強い人は、自らの性質や軌跡を捉え直し、肯定することで前へ歩む力を得ることができます。

キーワードは、「自己肯定」と「納得

■4つの学びエンジン［横軸］

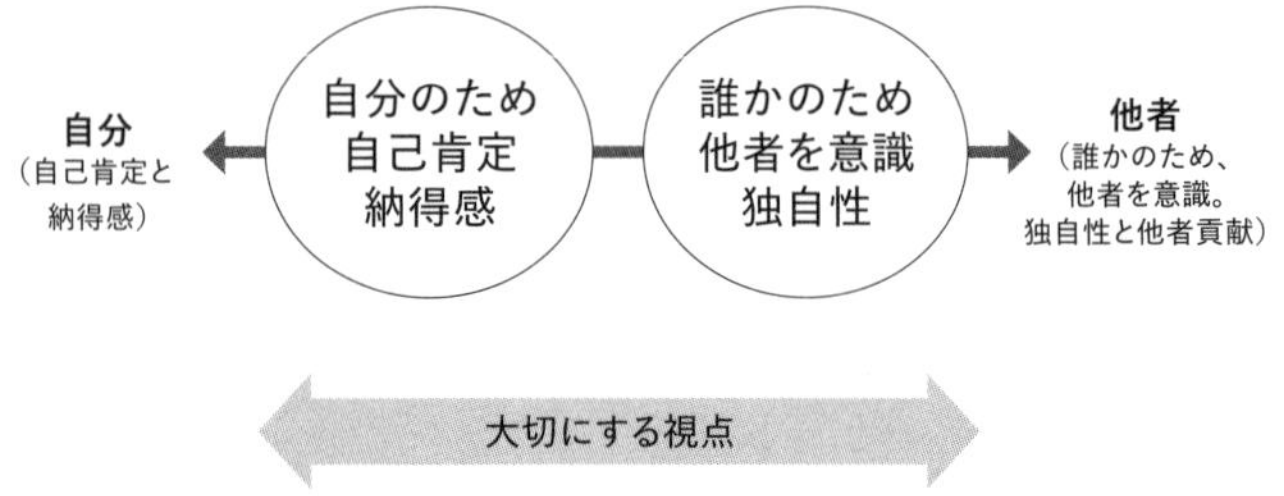


ベネッセ「インサイトリサーチ」をもとに作成

感」です。

また、「誰かを意識した学び・独自性と他者貢献」の傾向の強い人は、他者への貢献への評価や、他者とのつながりや交流を通じて自信を高めることができます。

キーワードは、「独自性」と「他者貢献」です。

「学び」に対して、人が持つ価値観は実に多様です。その一律ではない価値観を「自分を肯定するための方法」という縦軸と、「大切にする視点」という横軸で、分類してみました。

設定した縦軸・横軸で2軸4象限のマップを作り、そこに代表的な20人の声をプロットしました。

## よい悪いではなく、どれがしっくりくるか

グラフならば、上方向や右方向へ行くほど値が増えたり、下方向、左方向へ行くほど値が減ったりしますが、この図はそれぞれの傾向が強くなるという意味で、上下左右で優劣があるわけではありません。

縦軸と横軸によって分けられた四つの平面――4象限それぞれに特徴があり、一つの象限には、「学び」について共通の価値観を持つ人たちが配置されています。それぞれの象限の人たちが向いている方向を、私たちは次のように表現しました。

左上の象限から時計回りで、

A　自分の人生を見つけたい

B　人と違う自分を認められたい

■4つの学びエンジン

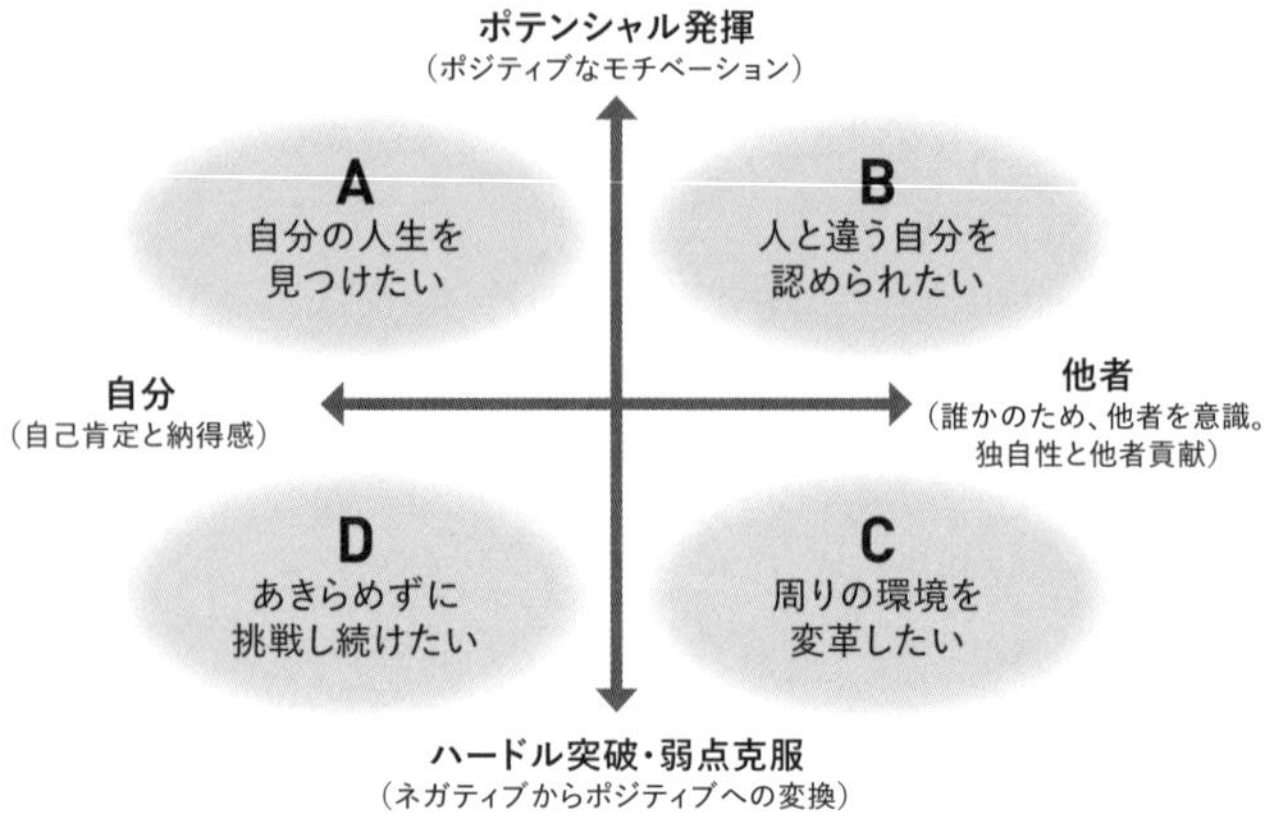


ベネッセ「インサイトリサーチ」をもとに作成

C　周りの環境を変革したい
D　あきらめずに挑戦し続けたい
となります。

一つずつ見ていくことにしましょう。

## A　自分の人生を見つけたい

左上の象限、「A 自分の人生を見つけたい」人たちは、自分を肯定してそのポテンシャルを発揮したい人たちです。

ここにいる人たちは、リスキリングといわれても、自分の関心事ではなく、また、課題とも思っていないため、「押しつけ」と感じる傾向が特に強く出ています。まるで自分の人生が後回しにされてしまう、とも感じています。

このAの象限の人たちが大切にしたいのが「自分の人生」です。「自分の人生を見つける」ことが「学ぶ」強い動機になります。

自分はいったい何に興味があるのか、関心があるのか、そこをまずはっきりとさせた上で、目標や行動指針を立てていく、という方向が見えてきます。

## B　人と違う自分を認められたい

4象限の右上、「B　人と違う自分を認められたい」人たちは、Aと同様に「自分を肯定してポテンシャルを発揮したい」と考えていますが、関心が「他者」に向いています。

Bの人たちはリスキリングについて、「誰が取っても同じスキルを延々更新するだけで、人と違う自分を認めてもらえる実感がない」と不満を持っています。

そこで打ち出すべき方向を「人とは違う」としました。

そのため、新しいことを学ぶことはもちろんですが、現在持っているスキルの新しい活かし方も探すようにします。それを見つけられれば、自身の不満を解消するのに役立ちますし、関心の対象である「他人」、つまり人のためにに役立つことができるようになります。

## C 周りの環境を変革したい

右下、「C 周りの環境を変革したい」人たちは、リスキリングをしても「今の職場では活かせない」「狭い組織のルールに閉じ込められたままでは自分の生き方にも、世間の新しい動きにも最適化できない」と不満を持っている人たちです。

しかし、「ハードル突破　弱点を克服する」傾向が強いので、困難を乗り越える意志は強固です。

そこで、現在の職場を仕方がないとあきらめるのではなく、いっそのことそのような環境を変えることを検討してはどうか、という方向性を打ち出しました。

組織のルールを狭苦しく感じているなら、それ自体を見直してみたらどうかということとです。

もちろんそのためには、根拠を示したり、人を説得したり、新たなスキルが必要になったりします。「学ぶ」必要も出てくるのですが、それだけの意欲は持っている人たちです。自身の知識や人脈も駆使すれば、組織や環境の変革を実現できるでしょう。

## D　あきらめずに挑戦し続けたい

時計回りの最後、左下の「D　あきらめずに挑戦し続けたい」人たちは、過去に自分の思ったようなことができず、挫折感を抱いていたり、コンプレックスを持っていたりする人たちです。

リスキリングは、勝者をさらに勝たせる取り組みにすぎず、自分には関係ない、という言動が多い傾向にあるのが特徴です。

しかし、挫折はどんな人も経験することです。逆にそのような経験をしたからこそ、できることもたくさんあります。同じように挫折したり、壁に当たって悩んでいたりする、ほかの人の気持ちも深く理解できるはずです。

そこで、「人生に立ちはだかる劣等感や欠落感、困難をバネにする」こと、そして、「失敗から学び、やり直すことを受け入れ、自分らしい生き方をしていく」ことを方向として打ち出しました。

# 「学び」のエンジンに入る八つのタイプ

私たちは、この4象限をさらに細かく分けて、最終的に八つのタイプに分類しました。AとBはそれぞれ二つに分け、Dは三つに分けて、合計八つに分けたものが次の図です。それぞれのカテゴリーごとに「こんな人」という人物像が描かれています。そしてその人が抱える「現状の不満」と「解決策（アイデア）」、さらには「大切なこと」を示しています。

このカテゴリーはインサイトを深掘りしたものですが、みなさんもどこかに当てはまるはずです。完全に一致する項目はないかもしれませんが、似たような不満を抱えていれば、その不満を持つ人の「解決策（アイデア）」にヒントがあるでしょう。

■8つの学びタイプ

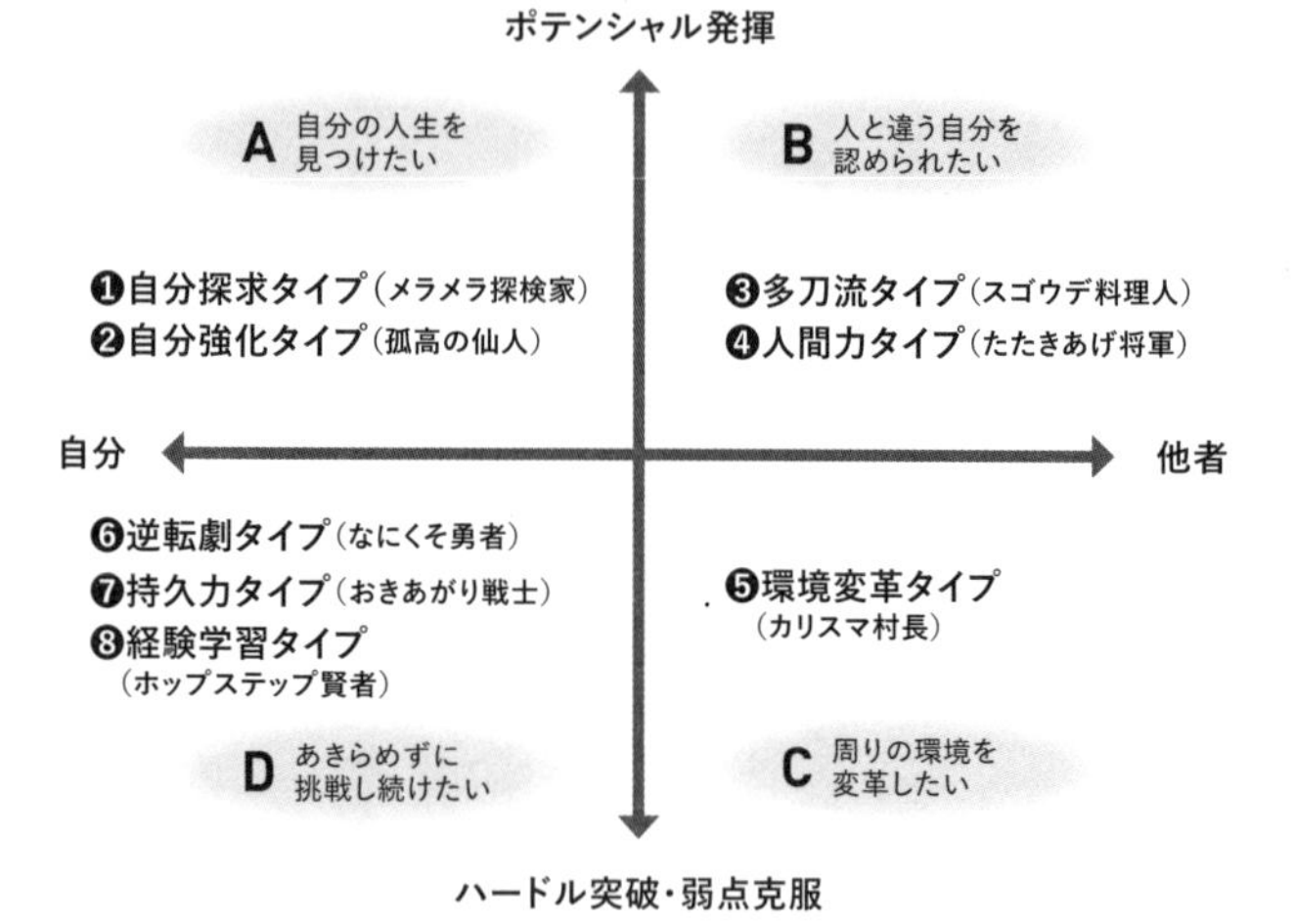


ベネッセ「インサイトリサーチ」をもとに作成

# 八つのタイプが抱える「悩み」

八つのタイプは、実は次のような悩みを抱えています。

①自分探求タイプ（メラメラ探検家）
現状の仕事に、やりがいを見出せずにいる

②自分強化タイプ（孤高の仙人）
仕事などに打ち込んで自分を振り返ることがなかった（40、50代など）

③多刀流タイプ（スゴウデ料理人）
資格を取って、専門的なスキルで仕事している（士業の方など）が、同業者との競争にさらされ、差別化したいと思っている

④人間力タイプ（たたきあげ将軍）
人間関係に迷いや悩みがあり、自信がない

⑤環境変革タイプ（カリスマ村長）
職場環境に閉塞感や危機感を覚えている

⑥逆転劇タイプ（なにくそ勇者）
今の仕事のやり方に、無理や生きづらさを感じている

⑦持久力タイプ（おきあがり戦士）
過去の進路選択に後悔や劣等感を覚えている（30～50代など）

⑧経験学習タイプ（ホップステップ賢者）
将来の進路に不安を感じている（10、20代など）

■8つの学びタイプ別・悩み

| こんな人 | 悩み |
|---|---|
| ①自分探求タイプ（メラメラ探検家） | 現状の仕事に、やりがい見出せないでいる |
| ②自分強化タイプ（孤高の仙人） | 仕事などに打ち込んで自分を振り返ることがなかった（40、50代など） |
| ③多刀流タイプ（スゴウデ料理人） | 専門的なスキルはあるが、同業者との競争にさらされている |
| ④人間力タイプ（たたきあげ将軍） | 人間関係に迷いや悩みがあり、自信がない |
| ⑤環境変革タイプ（カリスマ村長） | 職場環境に閉塞感や危機感を覚えている |
| ⑥逆転劇タイプ（なにくそ勇者） | 今の仕事のやり方に、無理や生きづらさを感じている |
| ⑦持久力タイプ（おきあがり戦士） | 過去の進路選択に後悔や劣等感を覚えている（30〜50代など） |
| ⑧経験学習タイプ（ホップステップ賢者） | 将来の進路に不安を感じている（10、20代など） |

ベネッセ「インサイトリサーチ」をもとに作成

それぞれ、現状の学びに関しては100％満足しているわけではありません。

しかし、解決策はあります。

# 現状の不満を解消し、自分らしい学びを手に入れる

「現状の不満」とは、隠れた不満や欲求のエッセンスのことです。

「リスキリング（学ぶこと）」に対してのどのような価値そして不満があるかに注目すると、まさにそこに「隠れた欲求」が見えてくるでしょう。

不満や欲求を充たすための方策が、表の「解決策（アイデア）」、そしてそれをさらに「キーワード」として表したのが、82ページの表の右の列「大切なこと」です。

たとえば、仕事のためなどで、関心のない学びを強制されるため、意欲が失せている「現状の仕事に、やりがいを見出せずにいる」①自分探求タイプにとっては、今の仕事にこだわらない「ライフワーク」や「ライフテーマ」を見つけてはどうかと提案しています。「学び」で、自分がそれまで思ってもみなかったような、情熱を注ぎたくなる未

## ■8つの学びタイプ別・現状の不満

| こんな人 | 現状の不満 |
|---|---|
| ①自分探求タイプ（メラメラ探検家） | 仕事のためなどで、関心のない学びを強制されるため、意欲が失せてしまう |
| ②自分強化タイプ（孤高の仙人） | 世の中の流れに合わせても、自分にとっての学びがない |
| ③多刀流タイプ（スゴウデ料理人） | スキルの更新を押し付けられる。今のスキルを活かした新しい仕事の仕方が知りたい |
| ④人間力タイプ（たたきあげ将軍） | 小手先の知識だけでは、現場で信頼が得られない |
| ⑤環境変革タイプ（カリスマ村長） | スキルを身につけても、職場で活かす機会がない |
| ⑥逆転劇タイプ（なにくそ勇者） | 会社や上司の要請で無理やり学ばされる |
| ⑦持久力タイプ（おきあがり戦士） | 自分の実情に合った自由な人生のルートを見つけられない |
| ⑧経験学習タイプ（ホップステップ賢者） | 無難にこなすことに精一杯で、自分の成長を感じられない |

ベネッセ「インサイトリサーチ」をもとに作成

## ■8つの学びタイプ別・解決策（アイデア）

| こんな人 | 解決策（アイデア） |
|---|---|
| ①自分探求タイプ（メラメラ探検家） | 人生をかけて情熱を注ぎたくなる「ライフワーク」「ライフテーマ」を見つける |
| ②自分強化タイプ（孤高の仙人） | まずは自分を知ることから。人生後半戦のキャリア棚卸しをおこなう |
| ③多刀流タイプ（スゴウデ料理人） | 新たなスキルをかけ合わせることで希少性の高い人物になる |
| ④人間力タイプ（たたきあげ将軍） | リベラルアーツを学ぶことで、人間力を高める |
| ⑤環境変革タイプ（カリスマ村長） | 学習しながら組織変革ができるような「ワーク」をおこなう |
| ⑥逆転劇タイプ（なにくそ勇者） | 資格を取るなどして新しい働き方を選択する。あるいは弱っていてもできる「やさしい学び」を取り入れる |
| ⑦持久力タイプ（おきあがり戦士） | 学生時代に挫折した目標に、時を経て再挑戦する |
| ⑧経験学習タイプ（ホップステップ賢者） | 失敗から学び、次に活かそうと挑戦してみる |

ベネッセ「インサイトリサーチ」をもとに作成

■8つの学びタイプ別・大切なこと

| こんな人 | 大切なこと |
|---|---|
| ①自分探求タイプ（メラメラ探検家） | ・自分を振り返る<br>・思いもしなかった何かに出合う<br>・自分の大切なことを見つける |
| ②自分強化タイプ（孤高の仙人） | ・今後の自分の活かし方を相談<br>・スキルや経験を可視化する<br>・お金ではない自分の価値を知る |
| ③多刀流タイプ（スゴウデ料理人） | ・複数の資格や専門をかけ合わせる<br>・新しい「役立ち方」を見つける<br>・ハイブリッドワーカー |
| ④人間力タイプ（たたきあげ将軍） | ・文化や歴史から人の本質を学ぶ<br>・年齢や肩書が関係なく使える知識を<br>・アート思考も有用 |
| ⑤環境変革タイプ（カリスマ村長） | ・柔軟さと自由さ<br>・外部とのネットワーク<br>・周りを気持ちよく動かす |
| ⑥逆転劇タイプ（なにくそ勇者） | ・新しい発想<br>・つまずきをバネに<br>・逆転は最高の成功劇 |
| ⑦持久力タイプ（おきあがり戦士） | ・最速より最善を選ぶ<br>・多様なルートの選択肢を知る<br>・回り道上等 |
| ⑧経験学習タイプ（ホップステップ賢者） | ・結果よりプロセス<br>・反省より冷静なフィードバック<br>・失敗こそ最大の学び |

ベネッセ「インサイトリサーチ」をもとに作成

知の仕事が見つかるに違いない。「学び」が、それに気づかせてくれるのではないかという提案です。

また、スキルを身につけても、職場で活かす機会がないと、「職場環境に閉塞感や危機感を覚えている」⑤環境変革タイプには、学習しながら組織変革ができるような「ワーク」を提案しています。

社内勉強会などは、ワ

ークの一例でしょう。

「今の仕事のやり方に、無理や生きづらさを感じている」⑥逆転劇タイプには、「資格を取るなどして新しい働き方を選択する」などと示しています。

挫折したり、不遇な人生を歩んできたりしたからこそ気づくことはたくさんあります。立ち直ってきたことそのものが財産です。「今までにない発想で、新たな働き方を模索してもいいのでは？」という提案です。

過去の進路選択に後悔や劣等感を覚えている⑦持久力タイプには、「学生時代に挫折した目標に、時を経て再挑戦する」とお伝えしています。やり直しに遅すぎることはない。いつでもチャレンジしていい。「人生100年時代」なのだから、新しいことにいつでも挑戦していい。そう提案をしています。

# 私たちの学びの可能性はまだまだある

「四つの学びエンジンと八つの学びタイプ」の分析や提案の中で、ちょっとでも何か引っかかるものがあれば、ぜひ、やってみていただきたいと思います。

たとえば、③多刀流タイプは、資格を取って専門的なスキルで仕事している士業の方にもいらっしゃいます。

「士業の方はスペシャリストだし、これ以上学ぶ必要があるのですか？」と疑問に思われた方もいるかもしれません。

しかし、インサイト調査の回答などから、たとえば「税理士」という肩書を持っていても、お客さまに信頼され「○○先生にお願いしたい」と言われるために、労務や会計など、隣接する領域の知識も身につけることで、「専門バカ」から卒業したいという声もありました。

私がハッとさせられたのは、ドライバーのFさんの話です。Fさんは、ペン字を習ったことで、業務日誌や署名の字がきれいだとほめられたそうです。自身のレベルアップを実感できてうれしかったと語るFさんに、私も学びのヒントをいただきました。

確かに希少性というのは、専門知識の有無だけではありません。「Fさんは日誌をきれいな字で丁寧に書きますね」という声は、そのままFさんという人の信頼や評判につながります。

自分が周囲からどういう人に見られたいかを考えると、唯一無二の人材になるためのヒントが思わぬところから出てくるかもしれません。

みなさんの学びの余地もまだまだある、ということです。

2章の最後に「四つの学びエンジンと八つの学びタイプ」の全体図を示します。学びのモチベーションやヒントとしてご活用ください。

■4つの学びエンジンと8つの学びタイプ

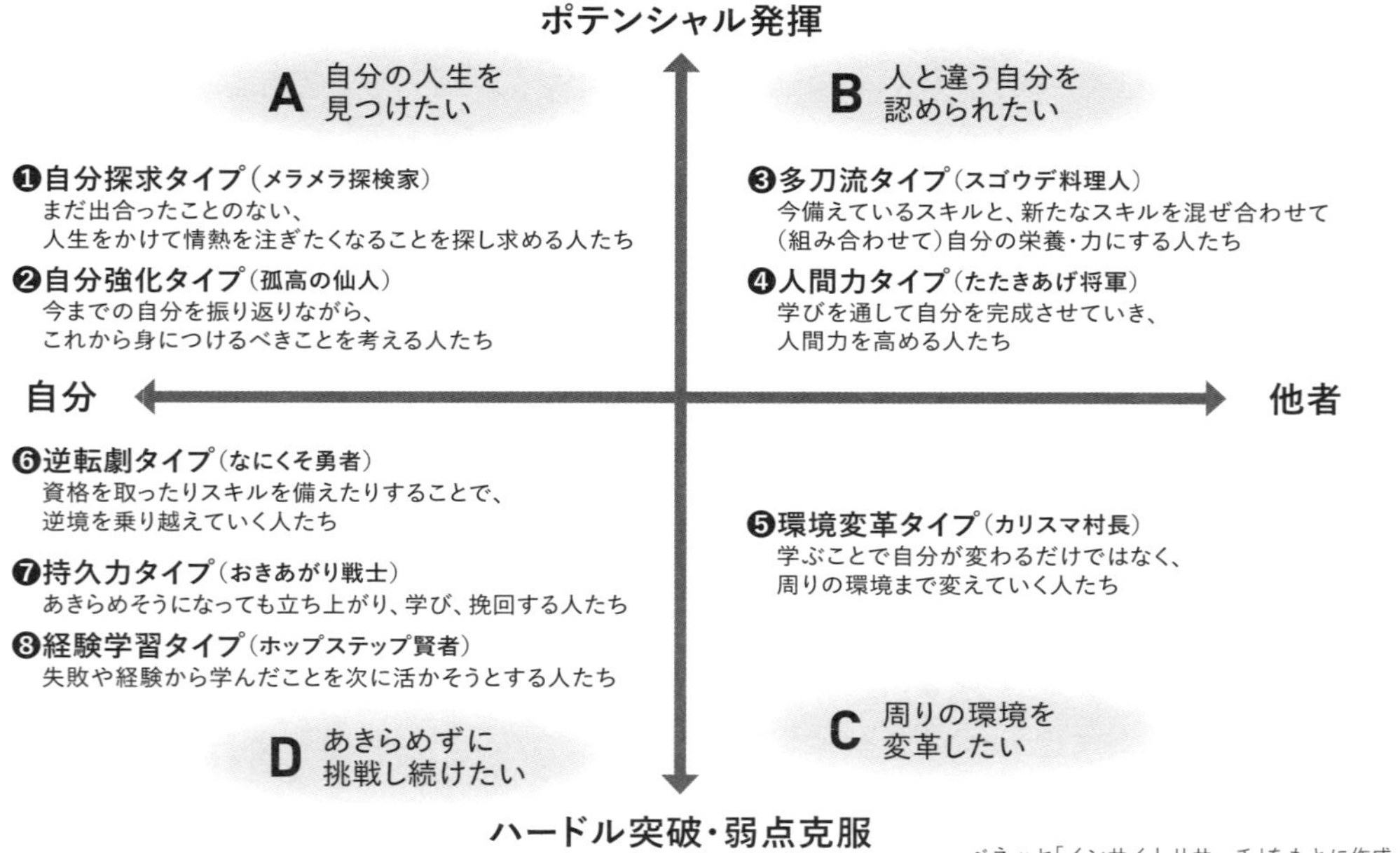
ポテンシャル発揮
ハードル突破・弱点克服
自分
他者
A 自分の人生を見つけたい
B 人と違う自分を認められたい
C 周りの環境を変革したい
D あきらめずに挑戦し続けたい
❶自分探求タイプ（メラメラ探検家）
まだ出合ったことのない、人生をかけて情熱を注ぎたくなることを探し求める人たち
❷自分強化タイプ（孤高の仙人）
今までの自分を振り返りながら、これから身につけるべきことを考える人たち
❸多刀流タイプ（スゴウデ料理人）
今備えているスキルと、新たなスキルを混ぜ合わせて（組み合わせて）自分の栄養・力にする人たち
❹人間力タイプ（たたきあげ将軍）
学びを通して自分を完成させていき、人間力を高める人たち
❺環境変革タイプ（カリスマ村長）
学ぶことで自分が変わるだけではなく、周りの環境まで変えていく人たち
❻逆転劇タイプ（なにくそ勇者）
資格を取ったりスキルを備えたりすることで、逆境を乗り越えていく人たち
❼持久力タイプ（おきあがり戦士）
あきらめそうになっても立ち上がり、学び、挽回する人たち
❽経験学習タイプ（ホップステップ賢者）
失敗や経験から学んだことを次に活かそうとする人たち

ベネッセ「インサイトリサーチ」をもとに作成

# COLUMN
「学び」の先輩インタビュー❷

# 苦手克服が仕事のやる気と自信に

## 山本るり子さん

「数学嫌いの文系人間」だった山本さん。しかし、膨大な学習データを前にしたとき、自分で分析してみたいと思い立ちました。

今では、ひらめいたことがあれば仮説を立て、適切なデータを取り出して分析、新しい知見を得れば、すぐに教材の企画や改良に役立てています。

データの裏づけがあるため、チーム全体が確信を持って進んでいけます。

現在は、忙しいながらもやりがいに満ちた生活を送っています。

### ▼必要性を強く感じた「データ分析」

ベネッセで、データサイエンティストとして活躍する山本るり子さん。営業、マーケティング、編集、商品開発など、多岐にわたる仕事に就いてきた山本さんですが、もともとは生粋の「文系」人間。数学は大嫌いで、自分には無関係な世界と割り切って生きてきました。

しかし今では、子どもたちはいつどうやって勉強しているのか？　成績が上がっていく子どもたちには共通の傾向があるのか？　どんなときにやる気を出すのか？　逆にどんなときにやる気をなくすのか？

そんな、これまでなかなかわからなかった学習の実態を分析し、得られた新しい発見を、教材の改良や新たな企画づくりに役立てています。

「事業部で仕事をしていた頃から課題意識は持っていたんです。ここをこうすれば、もっとお子さまたちのやる気を引き出せるんじゃないだろうかとか、お客さまの満足度を高められるんじゃないかとか……」

山本さんは、以前から、自分でデータ分析ができたらいいな、やろうかなと思い、実際に統計やマーケティングを勉強したこともありました。しかし、実際には多くの場合、分析を専門の会社に委託していました。

担当しているサイト改善のためにログ分析についても、外部の会社に依頼していましたが、頭を悩ませていたのが多額の費用です。時間もかかります。

また、上がってくる結果が期待通りではなかったことも少なくありませんでした。

仕事に直接携わっている人間だからこそ「課題意識」が生まれ、「きっとこうなんだろうな」という仮説もたくさん持てるようになります。それを直接、分析に反映させられれば、的確な結果を得ることができるはず。

山本さんは、いっそのこと本格的に勉強を始めようか、と思い立つのですが、分析にはそれまでの仕事で得られたスキルとはまったく異なるスキルが必要になります。周りにもそのようなスキルを持つ人はいませんでした。

### ▼膨大な学習データを目の前に、「新たな分野の学び」を決意

しかし、大きなきっかけがやってきました。

「2014年、チャレンジタッチという学習タブレット教材がリリースされることになったのですが、それを通して会員のお子さんの学習状況が『ログ』として集まってくるようになることで、これを教材の改善に活かせると思いました」

上司から分析担当をアサインされ、山本さんはそのログの持つ価値に可能性を感じました。

従来の通信教育はテキスト中心の教材で、子どもたちが添削問題を提出したかはわかりますが、どのように学習しているのか、どのように理解しているかまではわかりません。

ところが、チャレンジタッチでは、「この問題についてどの程度時間をかけて解いているのかとか、そもそもいつ勉強をしているのかとか、解答状況からどこにつまずいているかなど、学習行動がわかるようになったのです」。

たとえば、子どもたちの勉強の習慣にはバラつきがあることがわかりました。毎日、決まった時間にタッチを使う子もいれば、週末だけに集中して使う子も。また、時おり思い出したように使う子もいました。

子どもたちが解答した問題を分析すると、解説がわかりづらい点も明らかになりました。

出題の順番次第で、子どもたちがやる気を出したり、逆にやる気を阻害されたりすることもわかってきました。

これらの発見は、教材の改善につなげることができます。データ分析により、もっと子どもたちの才能を伸ばせる方法が見つかるはず。こんな子にはこんな勉強法といったタイプ別の最適な勉強法を提案することもできます。

山本さんは、分析は、自社内でやるべきだと思いました。それほど貴重なデータだったからです。

## ▼統計、機械学習、プログラミング言語などを週末に集中学習

営業、マーケティングなどの仕事で持っていた「課題意識」を確かめられるチャンス。山本さんは、学びに取り組むことにしました。データの価値をまざまざと見せつけられたことで、学ぶモチベーションは非常に高まっていました。

「とはいっても、何から始めればいいのか、まったくわかっていませんでした。『ログって何?』というところから始めて、それはこのテーブルに収められていて、そこから取り出して初めて使えるようになる、というところからですね」

必要なデータを取り出すには、SQL言語(データベースで情報を管理・操作するた

めのプログラミング言語）を使う必要があることがわかりました。そこで山本さんはSQL言語を学ぶことにしました。

データ同士の関連を探るためには、統計的な分析や機械学習が必要になります。また、子どもたちの学習習慣をタイプ別に分類しようとすればクラスター分析が有効です。これら多様な統計手法を網羅し機械学習も学んでいきました。

プログラミング言語のPythonも勉強し始めました。さらに、ディープラーニングの学習もおこなっています。また、ディープラーニングを理解するためには、数学の知識が必要になり、高校生以来の数学の学習も始めました。

「毎日2時間ほど勉強するのが理想ですが、平日は仕事で忙しくて、そんな時間はとれません。そこで土日に一日5時間くらいかけて勉強を続けました」

最低でも週に1回は勉強を続けることがコツだそうです。それ以上日を空けると、せっかく覚えたことを忘れてしまいます。

Udemyの講座は使いやすかったそうです。何を学ぶにも、初級から中級、上級まで揃っており、それらを自分のペースで続けることができました。

理解しているところはどんどん飛ばして、知りたいところのみを集中的に学べたところも、オンラインで学べるUdemyの利点でした。

### ▼データ分析が教材改良や企画に活かされて仕事も充実

統計は、専門書を買って勉強しようとしましたが、最初に手にした本が難しすぎました。あれこれ探した結果、Webサイトの「統計学の時間」がわかりやすいことがわかり、もっぱらこちらを利用しました。初心者向きの基本的なことから応用まで、丁寧に説明してくれています。

いずれも基礎として数学の知識が必要になりますが、ご主人が理系の人だったのでいい参考書を探してもらい、それで勉強したそうです。わからないときも、聞けばすぐに教えてもらえたことも、学びの継続につながりました。

こうして約3年間、毎週末勉強し続けることで、山本さんは、社内のデータサイエンティストの資格を取り、日々の仕事に活かしていることはすでにお伝えした通りです。データ分析という仕事を内製化したことで、教材の改良や新規企画、マーケティングのスピードが上がりました。何より、山本さん自身、改良や開発に確信が持てるようになりました。データという裏づけを得ることができたからです。

分析からわかったことの一つが、間違えた問題をそのままにせず、もう一度、やり直す子どものほうが成績が伸びているという傾向です。データ上、はっきりと出ました。それを活かして、のちに開発されたのが「解き直しシステム」です。

チャレンジタッチの中に「解き直しボタン」を設けて、間違えたその日のうちに、必ず解き直すように促します。また、特に重要と思われる問題は、数日後、忘れた頃にもう一度解き直して、子どもたちの脳裏にしっかり定着させるようにします。

以前から漠然と「そうだろうな」と思っていたことでも、データの裏づけが取れれば、確信を持って開発することができました。

### ▼家族の「励ましメール」で、子どもの勉強が続く！

保護者がお子さんの学習を応援したり、取り組んでいることをほめたりすれば成績が伸びる、という関係も明らかになりました。そこで保護者には「ハトさんメール」の活用を告知しました。

これはチャレンジタッチに標準装備されているメールで、保護者が5人まで使うことができます。ご両親はもちろん、おじいちゃんやおばあちゃんにもお願いして、励ましのメールを出してもらえば、子どもたちはやる気を出して勉強を続けるというわけです。

このような教材の改良や開発、新しい企画の提案は、企画や編集の担当者らとおこなう週に1回のミーティングで議論して、どんどん取り組んでいきました。

「分析した結果から、新たな知見やセオリーが生まれて、それを企画にすれば、また、数字として返ってきます。それを毎週、みんなで確かめ、数値が目標値へ届かなければ、なぜなのかを考え、別の手を打っていきます。こうして毎週毎週PDS（Plan→Do→See）を回していくという仕事のサイクルが広がりました」

打ち出した企画が有効だったのかも、データで確かめることができます。企画立案もその検証もデータの裏づけがあるので、チームメンバーの納得感も高まります。

「こうして子どもたちにはいい教材を届けられて、保護者の方々にも喜んでもらえる。その結果、私たちもいい仕事ができたとうれしくなり、みんなますますやる気になっていく。その喜びのサイクルができていくこともまたうれしいんですよね」

## ▼学んだことで、過去の仕事経験も生きてきた

データ分析の世界では、統計をはじめ分析のためのスキル磨きだけでなく、どれだけ適切な仮説を立てられるかも大事なことだそうです。

山本さんがこれまで携わってきた営業やマーケティングの業務経験や、当時から感じていた「課題意識」は、着実に今の仕事で生きています。

「これまできっとそうに違いないと漠然と感じていたことが、今では仮説を立てて、適切なデータを選んで分析すれば確かめられるようになりました。一つの知見、セオリーが確立できれば、それを土台に別の仮説へ発展していくことも可能になります」

苦手だった数学も、よりよい教材づくりに必要なデータ分析のため、確率、微分、行列、数列、対数、指数など、時間をかけて自分のものにしていきました。

「順序だてて考える『数学的思考』って大切だなとつくづく思いました。それにしても、高校時代の数学への苦手意識ってなんだったんでしょうね。たぶん、ちょっとつまずいただけなんでしょうね。そのとき、支えてくれたり、導いてくれたりする人がいれば、

私はあんなに数学嫌いにはならなかったんだろうと思います」

同じようなことは誰にでもあるのではないでしょうか。

苦手と信じて関わらないようにしていたことでも、やってみれば案外できてしまうことはよくあるのでは？　ちょっとだけやり方を変えたり、専門家からアドバイスをもらったりすることで、全然違う自分や、新たなやりがいを発見できるかもしれません。

# 第3章

# 何を・何のために？
# 「学び」が続くヒント

# 「新しいことを始めたいが、何をすればいいのかわからない」というケース

ここから少し、私の体験談をもとに、「学びの入り口」について、お伝えしたいと思います。

そもそも、「自分らしく」働く、「自分らしく」生きる、そのための「学び」とは、いったいどういうものなのでしょう?

「あんなことをできるようになりたい」
「あんなスキルを身につけたい」

はっきりしたイメージがあれば、「学ぶべきこと」もはっきりしているはずです。経験者に聞くなり、今ではネットで検索するなりすれば、通信教育や書籍、教材などなど、

「学ぶ」手がかりもすぐに見つけられるでしょう。

しかし、そもそも自分は何をしたいのかわからない――。そのような人は数多く存在します。私もそうでした。

経理の仕事をしていた神前茂雄さん（仮名）が以前、私のもとへ相談に訪れました。

「これまでずっと経理をやってきたけれど、何か新しいことを始めたいんです。でも、いったい何をすればいいかわからなくて……」。そんな相談でした。

お話を聞いてみると、どうやら今の仕事に「マンネリ感」を持っていることがわかってきました。

当時神前さんは、毎日、同じ部屋で、ほぼ同じ人たちと顔を合わせ、同じ仕事を10年ほど続けていました。職場環境そのものに飽きてしまった可能性があります。

仕事を覚え始めの頃はミスも多いので、冷や汗をかきながら間違いなくできるようにと努力します。こなせるようになれば、より早く、より能率的にと創意工夫もするでしょう。しかし、そのような段階を過ぎれば、仕事は単調な繰り返しに思えてくることもあるでしょう。

毎日の仕事をこなす能力はすでについていた神前さんにとって、仕事そのものがルーティンのように感じてしまい、「やりきった感」を抱いてしまっているようでした。

## 仕事の「ワクワク履歴」を掘り起こす

私は神前さんに尋ねました。

「これまで仕事で何かワクワクした経験はありますか?」

神前さんはしばらく考え込んだあと、「ああ、そういえば」と、「プロジェクトの一員として仕事をしたときが一番楽しかった」と答えました。

経理と聞けば、決まった仕事を期日通りに、ルールに則って、正確にこなすというイメージが強く、ルーティンワーカーと思われがちです。仕事をしている当人たちもそう思ってしまっていることがあります。

しかし、本当にそうでしょうか?

たとえば、同じ経理の仕事であっても、業種が違えばお金の流れはまったく変わってきます。一つの業種の会社で長年経理の仕事をしていたとしても、その企業の成長の「局面」で、経理の役割が劇的に変わることは大いにあり得ることです。

ゼロから事業を形づくっていくスタートアップの段階であれば、事業の開発のためにお金を積極的に投資する必要があります。

また、その段階を過ぎて、形づくった事業を軌道に乗せようとしている段階であれば、設備や人員などへの計画的な投資が必要になります。

軌道に乗り始めた事業をさらに大きくしようという段階であれば、いっせいに営業やマーケティングを仕掛けたり、ときには新たな成長機会を求めた研究開発や新規事業開発をしたりと、バランス感覚を持った投資が必要です。


神前さんも以前参加したプロジェクトで、同じ「お金の問題」でもいつもとは違う「局面」の仕事に携わることができ、そのときの印象が強く残っているようでした。

であれば、もう一度、社内の同じようなプロジェクトに参画する、という方法がありそうです。


新しい事業を開発するためのプロジェクトに参画すれば、たとえば資金調達や予算の編成などが課題になるはずです。設備投資のためのプロジェクト、事業拡大のためのプロジェクトもあり得ます。いずれもいつもとは違う「お金の使い方」を経験して、新鮮な気持ちになれると思います。

また、グループ内にはいくつかの子会社がありますから、可能ならば別の会社に異動するという方法もあるでしょう。扱う製品や事業が変われば、お金の使い方も流れも変わります。刺激を受けることは間違いありません。

このような経験を積んでいけば、それぞれの「局面」でどこにどれほどのお金をかけるのか——、そのお金はどうやって捻出するのか——。すでに使われたお金の流れを記録する「経理」の仕事の領域から一歩踏み出して、資金調達やこれからのお金の使い方を決める「財務」に興味が湧いてくるかもしれません。

もちろん、そのためには「財務」を「学ぶ」必要があり、それなりに大変なことですが、経営の意思決定に関わる仕事ですから、やりがいは大きくなると思います。いずれにしろ、現在の仕事の見方を大きく変える、いい機会になるはずです。

同じプロジェクトでも、業務改善や業務変革を目的にしたものもあります。中期経営計画の策定に加わることができれば、まさに経営の意思決定を目の当たりにして、経営そのものに興味が湧いてくるかもしれません。

また、プロジェクトそのものに興味があり楽しいのであれば、プロジェクトマネジメントを学び、プロジェクトマネジャーを目指す道もあります。

異なる環境に身を置けば、いつもの仕事の違う面が見えてきます。そしてそのとき、新たに学びたいことがはっきりするに違いありません。

**①今自分が持っているスキルは何か？**（神前さんの場合は経理）

**②過去に自分がワクワクした仕事は何か？**（神前さんの場合は、プロジェクトの一員として働いたこと）

**③①と②の組み合わせでできることはないか？**（神前さんの場合は、社内プロジェクトに経理担当者として参加することなど）

こんなふうに、今と過去を組み合わせて未来（やりたいこと）を探すのも一案です。

# 「自分の現在のスキルが転用可能か不安」というケース

経理の神前さんと同じような相談を、営業の方から受けたこともあります。

井上千絵さん（仮名）は長年営業を続け、成果も上げてきました。それなりのスキルが自分に蓄積されているとも感じていました。

しかし一方、果たしてほかの分野でやっていけるのか、あるいは社外で通用するのか――、漠然とした不安を抱えていたようです。

今の自分のスキルは活かしたい。でも、さらに先へも進みたい。そのために何かもう一つ身につけたいのだけれども、それが何かがわからない。そんな相談でした。

お話を聞いていくと、彼女は特に法人対象の営業が長く、その分野では自信を持っていることがわかりました。そこで、そこから幅を広げていく可能性を一緒に考えることにしました。

ひと口に営業といっても、新規の顧客開拓もあれば、既存顧客の売り上げを拡大していく営業もあり、それぞれにノウハウがあります。会社がどこを目指しているのか、将来、自分がどの分野でやっていきたいのか。それによって、新たに身につけるべきスキルも変わってきます。

会社の方針によっては、今後は現在の法人相手の事業だけでなく、一般生活者も対象にしていく可能性もあります。もし、そうなればマーケティングやブランディングなどに詳しい人材が必要になります。営業の豊富な経験とともに、これらのスキルを備えることができれば、会社にとって非常に心強い存在になれるに違いありません。

# 「経験×スキル」の組み合わせで、選択肢が増えていく

井上さんは営業のプレーヤーとしてさらに腕を磨くことも考えられます。法人営業も個人顧客への営業もどちらもこなせる、営業のスペシャリストを目指す方向性もあるでしょう。営業ならばなんでも任せられる、ワンストップな人材として大事にされるかもしれません。

また、営業の専門家として、人材の育成を求められるかもしれません。あるいは代理店など外部のパートナーと協働し、そのマネジメントに回ることもあり得るでしょう。いずれにしてもマネジメントについて学ぶ意義は大いにあります。

もう一つ、企業の「局面」によって、営業の位置づけが変わることは、前述の経理の仕事と同様です。

ゼロから1を生み出すスタートアップの段階の営業と、1から10にする段階と、10から100に事業規模を拡大する段階では、同じ営業といっても仕事内容がまったく違うのです。

赤字続きの事業を立て直すような仕事もあるでしょう。

顧客がどんどん離れていくと同時に、手元の資金もどんどん流出していく……。そんな中で事業を続けるためには、まず、現金を確保しなければなりません。不要なことを思い切って切り捨てていく決断も求められます。キャッシュフロー経営の知識も不可欠でしょう。

一つの企業がいくつかの事業を進めているケースは決して珍しくはなく、各事業で「局面」は違うはずです。なかには不調な事業があっても不思議ではありません。

事業の立て直しは、どの企業であっても求められる貴重なスキルになるはずです。

営業×マーケティング、営業×ブランディング。営業のスペシャリスト、あるいはそのマネジメント、あるいは経営へ……。踏み出す方向によって、可能性はいくらでも考えられます。そしてそのとき、学びたいことも明確になるでしょう。

# 「何か新しいことをしなければ！でもそれが何かはわからない」ケース

商品開発に携わってきた山下淑子さん（仮名）もまた、同じ仕事に長く携わってきたことから、ほかの仕事にチャレンジしたいと考えるようになりました。

といっても、どうやらそれは上司や先輩から言われたことがきっかけのようで、本人は、何を始めたいのか具体的に考えていたわけではありませんでした。

ただ、上司や先輩に指摘されたことで、山下さんは、現在の自分にどこか煮え切らない気持ちがあることは認めざるを得なかったそうです。「確かに自分でも、以前ほど仕事に全力を出し切れていない感覚があるんです」と語っていました。

何かしなければという思いはあるけれども、それが何なのかはわからない。でも、それがわかれば、気持ちはすっきりとするし、動きだせる……。そんな空気を山下さんから感じました。

でも、どの方向で話を進めればいいのか。先ほど登場した神前さん、井上さん以上につかみどころがなかったこともあり、私は、仕事以外のことも含めて、熱中していることを尋ねました。

「どんなときにハッピーな気持ちになりますか？」

と聞くと、意外な答えが返ってきました。

山下さんは、高校時代からずっとブログを続けており、書くことがすごく楽しいというのです。

サイトを見て、私はその文才に驚きました。日常のありふれた出来事を綴っているのに、独特の分析と解説に思わず引き込まれます。展開も巧みで、この先どうなるのだろうかと、気がつけばどんどん読み進めていました。

彼女にとってこのスキルは活用しない手はないと考え、私は山下さんに、仕事で関わってきた商品の「開発物語」を書いてはどうかとおすすめしました。

## 趣味のブログをきっかけに新しい業務に挑戦

ＰＲとして商品の特長を伝えることは第一歩ですが、商品開発がどのような発想で始まり、形づくられてきたのか、開発のどの点に苦労して、どう克服したのか、商品やサービスが生まれてきた経過や背景まで伝えることができれば、人はより深く興味を持ってくれます。開発者とともに苦労したような気持ちにもなれて、商品の根強いファンにもなってくれるでしょう。

「開発物語」を会社の仕事にできれば一番よいのですが、いきなりは難しいかもしれません。そこで手始めとして、社内のインナーコミュニケーションのための原稿を書けばどうでしょうか、また、そのためのプロジェクトの立ち上げを会社に提案してもよいのではともお伝えしました。

山下さんは、ブログは趣味でやっているのだからと、私の提案には初めはあまり気乗りしない様子でした。しかし、いろいろ話し合っているうちに、やってみようかという気になってくれたようです。

商品開発に携わってきたのですから、商品については、山下さんは社内の誰よりも詳しいはずです。しかしそれを人に伝えるためのスキルはまた別のものです。

商品を見たことも聞いたこともない人に対して、まず、興味を持ってもらう仕掛けを考えなければなりません。加えて、自分も含めた開発に関わった人物を登場させ、きちんとした「物語」に組み立て直すことができれば、多くの人が関心を持って読んでくれるはずです。

幸い、山下さんには文才というスキルが備わっています。

そこにストーリーテリングやナラティブ・コミュニケーションなどを学び足せば、その力はさらに強化されていくに違いありません。

山下さんのように、趣味で培ったスキルを仕事に転用するのも一つの方法です。

その際、仕事でスキルを使うために何を学び足せばいいかという視点を持ちましょう。特技を唯一無二の専門性にまで高めることができるかもしれません。

# 「次の学び」を見つけるための三つの視点

ここまで、「新しい学び」の見つけ方を相談者の方と一緒に考えてきました。

今のままではいけない、変わりたい。でも、どうすればいいのかわからない。実はそのような人は数多くいます。

もちろん、この悩みに応えるには、「学び」以外に解決方法があるのかもしれません。ですが、私は社会人教育に携わっていることから、「学び」に結びつけて何かヒントをお伝えできないかと思いました。

みなさん「そういう発想はなかったかも」とおっしゃり、「さっそく試してみます」と喜んでくださいました。

３人の事例から次のことがわかります。

## ①スキルは二つ以上持つ

1種類のスキルを持っているだけでは、人はなかなか自信を持てないのだということに気づきました。

一つでもスキルを持っていることはすばらしいことですが、ほかにも同じようなスキルを持っている人はたくさんいるという考え方もできそうです。

しかし、そこへ別のスキルが加われば、つまり「学び足し」をすれば、二つのスキルがかけ合わされ、一気に希少価値が高まります。

## ②新しいスキルは、「現在の仕事」にヒントがある

では、どの分野の「学び足し」をすべきでしょうか。

現在の仕事や働いている部署、組織内にヒントがある、ということです。

現在の仕事を続けながらも、少しだけ見る範囲を広げてみたり、別の角度から自分の仕事を見直したりして枠の外に踏み出してみれば、何を「学び足せ」ばいいのかが明らかになっていきます。

### ③異動や転職のシミュレーションをする

別の角度から仕事を見直すためには、異動や転職という発想になりがちですが、現実にはなかなかそこまで一足飛びにはできません。

そこで事前にシミュレーションしてみることをおすすめします。

具体的には、

・同僚や友人、知人を通して、違う世界の情報を得る
・転職サイトなどの「求めるスキルや資格」をチェックする

といったことをおこなってみましょう。

たとえば、「情報セキュリティに関する資格」を見ても

・CISSP（Certified Information Systems Security Professional）
・情報セキュリティマネジメント
・情報処理安全確保支援士

などがあり、調べていくと、エンジニアが学び足すといい、コンサルタントが学び足すといいといった違いが見えてきます。現在の仕事に何を「学び足す」といいかも、明らかになっていくと思います。

# 話し相手の存在が「棚卸し」には不可欠

自分の考えを整理するのに必要不可欠なのは、話し相手です。

話す相手は、なんでも即座に答えてくれる博学で経験豊富な人である必要はありません。あなたの中の感情や気持ち、情報を整理するのは、あくまであなた自身です。

人に話を聞いてもらおうとすれば、理解してもらうために、情報を取捨選択したり、話す順番を考えたりすると思います。その過程で情報や気持ちが整理されていきます。

それを手助けする役割として、あなたの話にじっと耳を傾け、うなずきながら話を聴いてくれる人が適任でしょう。

そうやって、自分自身を棚卸ししていくわけです。

いわば話し相手は「壁打ち」の「壁」のようなものです。

先ほどの3人の方も、私に話をするために日頃から感じている漠然とした不安や不満、モヤモヤした気持ちをわかりやすく伝えようとしてくれました。

胸の内にあるどんよりとした気持ちを「言語化」していくことで、あいまいなものの正体が明らかになり、漠然とした不安、不満、不足感が、特定できる課題やテーマになります。そうすると、徐々に次にやるべきことまで見えてくるようになります。

私は神前さんに新しいプロジェクトや、経理から一歩踏み出して、財務を学ぶ方法もあるとおすすめしました。他者から情報を提供されたときに、受け入れるかどうかは、自分の中のあいまいなものをどれだけ整理できているかにかかっています。

友人、知人、ニュース、今ではＳＮＳなどネットから膨大な情報が毎日もたらされます。それを、自分の将来と結びつけて考えられるのかどうかも、今の自分をどれだけ客観的に理解しているかにかかっていると思います。

悩みや不安、モヤっとした感情をまずは言語化してみることをおすすめします。あなたの今抱いている感情に、間違いも正解もありません。

# 20年の悪戦苦闘で見えてきた「学ぶ」理由

変わりたいけど、何をどうすればいいのかわからない。新しいことを始めたいけど、いったい何を……？

3人の方の心の声に、共感する部分があったのではないでしょうか。

ここで4人目の例として、私の話をさせてください。

私は現在、社会人になって約20年が経ちますが、「仕事」と「学び」については、相当、苦労してきたという自覚があります。

今でこそ、自分なりに「学ぶ」がどういうことなのか多少わかってきたように思いますし、「自分らしく」働くことにも、近づいている気がします。

しかし、かつてもがき苦しんでいた私が、こうなりたいと未来を思い描き、しっかり目標を立てて、努力して「学んで」、現在に行き着いた……などということはまったくありません。

むしろ、自分の強みと信じていたものがまったく通用しなかったり、「学ぶ」という概念を覆されたり……。

自分でも何をやっているのか、一時はわけもわからなくなるほどの混乱の日々を過ごしました。

それでいて、今は時に人の相談にも乗っているのですから不思議なものです。

そんな私がいったい、どうやって「自分らしく働く」ことに近づけたのか、自分にとっての「学ぶ」理由を「言語化」したいと思います。

不器用な社会人の例として、参考にしていただければ幸いです。

## 「独学で必要なことを最低限」を繰り返して毎日をしのぐ

少しだけ私の話にお付き合いください。

私は、高校・大学とラグビーをし、高校時代は生徒会、大学時代は学生団体とさまざまな組織でキャプテンや代表を担ってきたことから、自分の得意技は「リーダーシップを発揮する」ことだと信じていました。

新卒で大手通信サービス企業に就職して、最初に配属されたのが、中核事業の経営企画部門でした。当時の私には、まさにここは経営の中枢部門であり、自分の強みを思う存分発揮できると喜んだものです。

ところが実際に仕事を始めると、理想と現実とのギャップをまざまざと見せつけられました。

仕事は、会社の業績数値や事業の経営数値を整理して分析、計画からの差分が発生した要因を特定しながら、未来の予測を立て、その精度を日々高めていくことが求められるものでした。「経営の羅針盤として、責任と自覚を持った仕事をしよう」それが当時の部門長の口癖でした。しかし、当時、会社は大型の企業買収をし、新たな事業領域に乗り出したばかりだったこともあり、毎日毎日、次々と新たな課題が噴出する状態でした。

新人の私にとって、ルーティンの仕事でさえままならないのに、突発的に噴き出る課題やドラマだらけの職場は、まさにカオスのように思えました。

そのような環境下で、先輩たちはテキパキと仕事をしていました（と少なくとも私にはそう見えました）。彼ら彼女らは中小企業診断士、税理士、米国公認会計士の資格を持っていたり、コンサルティングファームや会計事務所の出身だったり、経理、財務、経営企画のキャリアが10年以上のプロ中のプロだったのです。

一方の私は、ビジネスはもちろん、会計はまったくの素人で、簿記も門外漢。さまざまな分析をするのに最低限必要なExcelもギリギリ触れた程度。しかし、会社ではOJTがメインで、誰もが自分の仕事に忙しく、丁寧に新人の教育をする時間は限られていました。そんな、新人に対して厳しい職場で、必死に先輩から仕事のやり方を盗んだ経験がある人もいるのではないでしょうか。私もまさにそういう環境の中で、社会人としてのキャリアがスタートしました。

みな忙しいため、先輩たちに迷惑をかけまいと見よう見まねで仕事をしましたが、何もわかっていませんから、結局、うまくできずに先輩たちの手を煩わせてしまいます。そのたびに「お前、いったい何しに来たんだ？」という冷たい視線を浴びていました。「リーダーシップを発揮する」どころか、私はそのはるか前の次元でジタバタとしていたわけです。

しかしこのままでは、役に立たない新人という烙印を押されてしまいます。それでは自分自身が許せません。

そこで、私は本格的に「学び」をスタートしました。

簿記についての基本的なテキストを購入すると、目の前の仕事に関連するページを索引から探し出し、そこだけなんとか理解して、毎日の仕事をこなしていくことを覚えました。Excelも同じく、仕事に必要な機能を片っ端から習得し、速く正確に作業ができるよう、必死にキーボードを叩きました。

独学で必要なことだけを最低限、頭に入れて、その日の仕事をなんとかこなす。残業を終えて夜遅くに帰宅しても、とにかくテキストを開く。睡眠時間を削ってでも、なんとかそれを繰り返して毎日をしのいでいく。そうやって必死に、職場での自分の居場所を探していたのだと思います。

日銭を稼ぐかのように、「付け焼き刃の学び」を続けていました。

## やっているうちに「学ぶべき全体像」が見えてくる

学生時代、文系・体育会系の両分野でさまざまな困難を経験していたこともあり、忍耐力と体力が多少あったことは幸いでした。必死になんとか毎日を送っているうちに、不思議なもので、私は「自分でできることが着実に増えている」という感覚を持ち始めました。

付け焼き刃の学びも、継続することで力になってきたのです。

「学び」の見通しが見えてくると、今自分がやっているのは、経理や管理会計の業務が中心で、会計には財務会計があることを知り、その先には財務や税務もあり、ひと言で「お金の管理」といっても、奥深い世界があることに気づきます。また、その周辺には法律や各種制度といった、「学ばなければ」と思わせる専門性の高いテーマが広がっていくことがわかります。こうして芋掘りのように次々と「業務」の周辺に存在する「学ぶべきこと」が明らかになり、やがて業務に必要な「学び」の全体像も見えてきたのです。

もちろんそれと同時に、自分の足りないところも改めてわかり、がく然とするのですが、とにかく進むべき方向だけはわかり、その方向に一歩でも二歩でも進み続ければなんとかなるはず。そんな気持ちを持つことができるようになりました。

恐ろしいことに3年もすると、私は自信まで持つようになりました。進めば進むほど、まだまだ道は遠いとわかってくるのですが、振り返れば、これまで実に大変な環境を生き抜いてきたではないかと（自分では確かにそう信じていました）、なんらかの達成感を得ていたのかもしれません。

自信を持つようになれば、誰しも何か新しいチャレンジをしてみたい、と思うのではないでしょうか。私もまさに気持ちが大きくなり、転職を考え始めました。これだけ厳しい職場を生き抜いてきたのです。もっと自分の可能性を広げられる場所がほかにあるに違いないと……。しかし、現実はまたしても甘くはありませんでした。

転職活動が上司にバレ、私は持株会社のグループ会社管理の業務に従事するよう、異動を命じられました。ただ自身の脇が甘く、自業自得だったのですがショックを受け、異動先で仕事を始めると、私はさらに別のショックを受けることになります。

# 焦り、こじらせ、もがき続けた20代後半で始めた「プロボノ」

前の職場は目の回るような忙しい毎日で、体力的にも精神的にもタフな環境でしたが、耐えて仕事を覚えれば、少しずつ自分に何かが蓄積されていく実感がありました。

しかし、次に配属されたグループ会社管理をする仕事の職場は、それとは真逆の職場でした。おとなしいというか、まるで戦時が平時になったというか……。毎日を淡々と、事故なく過ごすことが目的のような、決まった時期に決められた仕事をこなしていく世界でした（今ではそれがその組織役割として理想的な状態だとわかるのですが、血気盛んな当時の私には、それは物足りない環境と誤った認識を持ってしまっていました）。ある意味、20代後半にさしかかり、漠然とした焦りを感じ始めるなか、先ほどの3人と同じような悩みを私も抱えていたのです。

仕事をこなせば一日は終わり。私はそんな毎日を持て余すようになりました。

そしてとにかく焦り始めました。それまでの知識や経験の蓄積がどんどん失われ、自分の成長が止まってしまうのではないかと恐れたのです。仕事に忙殺されることが「成長」と感じていたのに、忙殺されなくなったことで、「成長」を感じにくくなってしまっていたのです。

そこで、このままではだめだと自分を奮い立たせて、私は二つのことに取り組むことにしました。

一つがプロボノ――専門性を発揮できるボランティア活動に携わることです。

ボランティアといっても幅広い分野の活動があり、それぞれ専門性があります。活動のための資金を寄付で集めたり、予算を立てたり、NGOの運営にもノウハウがあります。また、何か新しい活動を始めようとすれば、プロジェクトマネジメントのノウハウが生きるでしょうし、世の中に何かを訴えたいのであれば、ブランディングやマーケティングの知識を活かせるでしょう。プロボノは、そんな、仕事で得た専門性を活かせる活動として、当時注目され始めていました。

今では弁護士が人権活動のボランティアをしているとか、経営者が起業したい若者を支援しているとか、まさにプロが活躍する場の一つとして広く認知される存在になりました。

なかには、自分のスキルを再発見して次の仕事を見つけることや、将来、独立するために副業と同列に位置づけて経験を積むことを公言して活動している人もいるほどです。

当時の私は、そこまで深く考えていませんでしたが、とにかくこのままではいけない、会社名や会社の肩書が通用しない世界で、自分の力がどの程度通用するのか、試してみたいと、気持ちが高ぶっていたのです。

焦った私が取り組んだもう一つのことが、本業での新しい取り組みです。

持株会社で担当していたグループ会社に出向き、経営支援に直接関わることでした。経営の第一線に立って生きるか死ぬかの緊迫した世界に戻れば、再び、自分を成長させられると考えたのです。

しかし、どちらも自分のイメージ通りにはいきませんでした。

# プロボノの活動が「自分のあるべき姿」を考えるきっかけに

プロボノの活動では、苦労して身につけてきた自分のスキルが何かの役に立つと信じていましたが、その道のプロたちにはとてもかないませんでした。

自分の無力感にかなりショックを受けた一方で、それでは自分はいったいどのような価値を生み出せる人間になりたいのか。そんなことも考えるようになりました。

自分がどうあるべきかを真剣に考えるきっかけになったことは、あとから考えればプロボノに参加した大きな成果でした。

もう一つの取り組みとしては、自身が担当するグループ会社に出向き、経営支援に携わっていく件ですが、こちらも難航しました。月1、2回、経営会議などに参加させてもらえる関係構築をしても、あくまでもそれは「当事者」ではなく「傍観者」であり、経営支援に深く関与できているとはとても呼べない状態でした。やはり「当事者」になるには、別の次元のコミットメントが必要なんだということを痛感していました。

## 業績不振会社への出向で、しびれる「現実の経営」を体験

そんな私を見かねた部門長は、私をよく飲みに連れ出してくれ、とうとう仕事に対する向き合い方を語ってくれました。「力を分散させるのではなく、その道を極めたいのであれば、一つのことに集中をすることも大切だ」と。ただ、当時の私には、それを素直に受け入れる気持ちの余白がありませんでした。

ある日のこと。職場で突然、部門長に呼び出され、私はタクシーでグループ会社の一つに連れていかれました。そして道中、「半年間やるから、この業績不振の会社を立て直してこい」と言われたのです。

出向でした。あ然としました。担当していたグループ会社の中でも、業績不振に苦しみ、なかなか好転させる見通しが立てにくい会社へ、上司は私を送り込んだのです。

「ミッション・インポッシブル」。そんな言葉がピッタリな挑戦を突きつけられた気がしました。

実際に働き始めると、それまでのスキルがまったく通用しないことを思い知らされました。会計を学び、経営計画を立てる仕事で、それなりに経営の仕事の蓄積をしてきたつもりでしたが、いくら計画を作ったところで、毎日毎日、銀行口座の残高がどんどん減っていく状況を、食い止めることはできません。

計画だけではお金は入ってきません。私はワラをもつかむ思いで「キャッシュフロー経営」を学ぶことにしました。とにかく現金を重視する、手元の現金を増やすことを最優先にする経営です。

社内では徹底したコストカットを進めました。単に経費のカットにとどまらず、業績不振の原因となっている事業構造そのものを見直し、必要な整理もおこないました。

一方で、現金を稼ぐための新規事業の立ち上げも企画しました。当時、立ち上げたのが法人対象の事業でした。契約締結と同時に前受でお金を受け取る仕組みにすれば、早めに現金を手にすることができます。

半年という話でスタートした挑戦でしたが、結局、そのグループ会社に在籍したのは3年を超えました。3年半をかけて、なんとか会社を黒字化することができたのです。

現実の経営や、経営の厳しさ・難しさを、いやというほど知ることになりましたが、この期間、私は本当の意味で「もっとも成長できた」と実感することもできました。

実際、ここで「学んだ」経験は、のちに大いに役立つことになります。

# モチベーションなど関係なく、がむしゃらに学んだ10年

こうして私の社会人としての最初の10年は、あっという間に過ぎていきました。

この10年を大ざっぱに振り返れば、ひたすら目の前の仕事をこなすことに追われ、そのためのスキルを身につけることに必死でした。仕事と「学び」は決して切り離せないものでしたが、モチベーションも何もありません。

「事が起こってからあわてて対応策を考えて対処する」の連続で、犬かきでもなんでもして溺れないようにもがいていました。ときには泥水をすすり、たまにおいしい水や甘い水にもありつけた。そんなところでした。第１章で紹介したインサイト調査の結果と同じく私も、胸を張って自分は「学んできた」とは、とても言えなかったのです。

当時、自分がやってきたことといえば、よく言えば、即効性のある知識やノウハウの習得となりますが、悪く言えば、付け焼き刃、一夜漬け、その場しのぎ……。そんなことにすぎないと、ずっと思っていました。

また、自分は何のために働いているのか、という問いに対する明確な答えも持っていませんでした。

当時を振り返れば、「期待に応えられない自分を認めたくない」とか、「できないやつと思われたくない」という気持ちで、必死に仕事に取り組んだことで、結果的には達成感や自信を持つことができました。

ただそれは、「学ぶ」理由にはなるものの、働く理由にはなりません。

はたから見れば「仕事をがむしゃらにがんばっている人」でしたが、当時のモチベーションは決して高くはなかった、というのが正直なところです。

# 社会は「大人の教育」を必要としている

そんなもがき苦しんできた経験が、私にもたらしてくれた確かなことがあります。それは、社会は「大人の学ぶ場」を必要としている、ということです。

かつて私が勤めていた企業では、世界中の企業に投資をしていましたが、投資先に教育関連の企業はほとんどありませんでした。それは、教育業界にユニコーン企業（時価総額が10億米ドル以上ある非上場のスタートアップ企業）もしくはその期待が持てる企業数が絶対値として少なく、投資をしたくても条件を満たす企業がきわめて限られていたのもありました。

私は退職前、たまたまこの投資をする業務に従事していたこともあり、もっともっと「教育業界」に投資をして、ヒト、モノ、情報を注ぎ込み、教育業界全体のイノベーションを加速させていきたい、という想いを募らせ始めていました。そして日々を重ねるうちに、その想いが私の中で大きくなり、行動することにつながっていきました。

その後の私は、社会人10年目にベネッセコーポレーションに転職し、その確信を現実のものにしていく機会を得ることになりました。私はまさに、大人のための「学び」を推し進められる立場になったのです。

# 「学び」をあきらめなかった五つの理由

決してモチベーションが高かったわけではないのに、どうして私は10年も「学び」続けられたのでしょうか。自分自身を一度振り返って整理してみたところ、次のような五つの理由に思い至りました。

## ①必要に迫られたから

なんといってもこれが一番の理由でしょう。

学んだり、スキルを磨かなければ、ついていけない、仕事ができない、そして、「無関心な対象」になってしまう。それは絶対にイヤだったので、そうならないよう必死でした。

第2章で紹介した四つの学びエンジンもそうですが、一人ひとりの性格やその時々の状況によって、学びのエンジンは変わるものです。

みなさんも「学びは前向きで楽しくあらねばならない」と、考えすぎなくてもいいのではないでしょうか。

受け身な理由であっても、強い動機となり得るのです。

### ②負けたくなかった、自分がその程度なのかと認めたくなかったから

これもまた大きな動機でした。

ここでくじけては自分自身が許せない。自分がその程度なのかと認めたくなかったのは、プロボノでの経験でも同様です。決してポジティブなものとはいえませんが、「負けたくない」とか「くやしい」というネガティブな感情が「学び」に火をつけることも十分にあり得るのです。

### ③「あなたにポテンシャルを感じなくなった」という、ひと言

大切な友人から言われたひと言。これは相当、カウンターパンチのようにこたえました。仕事に追われ、自分でも「自分らしくなく、嫌いな状態」と自覚していたときでした。追い討ちをかけるように、身近で大切に想っていた人にも見限られてしまったのです。

泣き面に蜂で、もう二度と立ち直れないと思ったほどです。

だからある意味、必死でかんばりました。そうしなければ、自分はもうここでおしまいだと思ったからです。

自分が自分を好きになれる状態にしなければと模索を始めたのも、この出来事がきっかけです。今思えば「自己肯定感」を上げたかったのかもしれません。実際「学び」は、このために大変役立ちました。

大切な人に突き放され、好きな自分を取り戻すために学ぶ。

学ぶ理由としては、かっこ悪いものだったかもしれませんが、かっこ悪い理由には本音が詰まっています。本音の理由だからこそ、まっすぐにがんばれるのです。

みなさんにも本音の理由はありませんか？　もしあれば、それが原動力になるかもしれません。

## ④知りたくなったから

「学ぶ」といっても、初めはまさに泥縄式、その場をしのぐためのものでしたが、断片的な知識がたまっていくと、ひょっとしたらアレも関係あるのか、コレもつながるのかと興味が膨らみ、「学ぶ」意欲が湧いていきました。

会計を体系的に理解できたときの喜びはひとしおでした。

みなさんも、気になったことを「つまみ食い」でかまわないので、あれこれ学んでみてはいかがでしょうか。飽きたら次に行く、でもいいと思います。あるものとあるものの間に空白があると、それを埋めたくなるのが人の性質なのだといいます。

断片的な知識を手に入れていくうちに、「学び」の領域の間にある「空白」（知らないこと）を埋めたくなっていくのは自然な流れなのかもしれません。であれば、欲張らず、焦らず、興味・関心のおもむくままにやってみるのが早道ではないでしょうか。

**⑤さらなるヒントがほしくなったから**

自分の道と確信する「大人のための学び」分野で、新規事業や事業責任者を任されるようになると、「当事者意識」を持って物事を見ることができるようになりました。すると、仕事のやりがいは格段に大きくなりました。

このサービスにはこんな機能を盛り込みたい、それにはこんな技術が必要で、それができる人財を惹きつけないといけない。そしてそれをするには、さまざまなリソースを引っ張ってこないといけない。まさに、今までの知識・経験をフルに活用しても、次々と足りないこと・知らないこと・わかりたいことが増え続けていきました。

現実の仕事を頭に描きながら、新しいことを「学び」、形にしていくこと、そして成果を上げていくことは本当にうれしく、さらに「学ぶ」大きな動機にもなっています。

以上が、私が「学び」をあきらめなかった五つの理由です。

ひと口に「学ぶ」といっても、いろいろな理由や意味があり、時期や場面で変わります。参考になるものはありましたでしょうか？

私一人でも「学ぶ」意味や理由がこれほど多様な変遷をたどってきていますので、きっとみなさんの「学ぶ入り口」も、ちょっと立ち止まって探してみると、たくさん見つかるかもしれません。

COLUMN

「学び」の先輩インタビュー❸

# 「弱点」から新たな学びとキャリアをつかむ

## 志《し》釜《かま》直《なお》樹《き》さん

学生時代からプログラマーとして仕事を開始し、SIer《エスアイヤー》（システムインテグレーター）を立ち上げ、サイボウズではSEの立場で製品開発に関わるなど、ITエンジニアとしてキャリアを積んできた志釜直樹さん。

しかし、現在は一転して組織改革と人材育成のコンサルティングに従事、「マネジメントは本当に奥が深くておもしろい」と人間相手の仕事に興味が尽きません。

なぜ、思い切ったキャリアチェンジをしたのでしょう？　志釜さんに何か起こったのでしょうか？

### ▼IT企業に就職しSEに。その後、マネジメントの魅力に惹かれる

「プログラミングの世界には答えがありますが、マネジメントには正解はありません。

人によってやり方は全然違っていて、100人いれば100通りのマネジメントがありますし、結果もまったく異なります。

自分で正しいと思ってやっていたことが全然ダメだったことも……。正解はなくてものすごく難しいけれど、でも、おもしろい。本当に奥が深いなって思いますね」

現在、サイボウズのチームワーク総研で、組織風土改革のコンサルタントを務めるのが志釜直樹さんです。

日本を代表するソフトウエア企業の一つ、サイボウズは、グループウェアの「サイボウズ Office」「サイボウズ Garoon《ガルーン》」やノーコード・ローコードツール「kintone《キントーン》」などがよく知られていますが、組織改革や人材育成などのコンサルティングもおこなっており、それを担当しているのがチームワーク総研です。

セミナーを企画して募集をかけ、参加者のリストをもとに提案書を作って仕事を開拓、受注を果たせば、その後も自分で企画を立てて研修の講師も務める……。

志釜さんは、何もかも一人でおこなうコンサルタントです。

人のやる気に火を点《とも》し、その能力を最大限に引き出していく。そんなマネジメントの奥深さに魅せられ、現在の仕事を天職のように静かに熱く語る志釜さんですが、社会人としてのスタートはプログラマーでした。

志釜さんがプログラマーとして働き始めたのは、まだ大学へ通っていたときです。

「私が通っていた総合政策学部は、文系と理系の融合を目指して作られたばかりの学部で、当時としては珍しく、パソコンやUNIXなど、最新のコンピューターが240台も備わり、学生が自由に使うことができました」

志釜さんが学生時代を過ごした1990年代後半は、国内では楽天やサイバーエージェント、海外ではAmazonやGoogle（現Alphabet）が創業するなど、IT関連の起業が真っ盛りの頃でした。

### ▼仕事の現場が「学ぶ」現場

情報系のゼミに所属し、世間一般よりも早くからコンピューターを使っていた志釜さんもまた、そんなベンチャーに憧れました。

大学に通いながら派遣会社に登録してプログラムの仕事をしていましたが、憧れのIT系ベンチャー企業を自ら訪れ、アルバイトとして採用されることになり、昼は派遣、夜はアルバイトの生活を送りました。

そして、いずれは自分もＩＴ分野で……。そんな野心に燃える若者だったそうです。

大学卒業後もそのままアルバイト先のＩＴ企業に就職してＳＥになりましたが、自分でプログラミングする機会も多かったそうです。

ＩＴは当時、急速に拡大していた分野です。最先端の技術もすぐに古くなってしまい、常にアップデートが必要です。

「なんの予備知識もなく急に現場に放り込まれ、やむなくその場でいろいろ覚えていくしかありませんでした。いきなりプログラムを書いたり、システムを作ったり、あとから見直すと、まったくひどい出来でしたね」。仕事の現場が学ぶ現場でもあり、二つが渾然一体となって進んでいた、というのが実態だったようです。

とにかく仕事は山のようにあり、ＩＴエンジニアは引っ張りだこでした。そんな事情もあって志釜さんは、就職して2年目にはＳＩｅｒとして独立します。

それから約10年、ＳＥとしてシステム開発に携わったり、フリーランスのプログラマーとして活動したり、進化の著しい世界を走り続けました。

２００８年に結婚し、３年後にはお子さんも生まれますが、考え方にも変化が出てきたそうです。

「安定しなきゃなという思いがちょっとありましたが、もう一つ、製品開発にも関わりたいと考えるようになりました。それまでの仕事は顧客の依頼によるシステム構築の仕事が多かったんです」

日本でそんな仕事ができるところを……と、探して行き着いたのがサイボウズでした。

### ▼マネジメントの必要性を痛感した、サイボウズでの三つの出来事

入社後は、システムコンサルティング本部のソリューションエンジニアリング部に配属され、サイボウズが提供する数々のグループウェアを導入支援する仕事に携わりました。

希望通りの仕事で、業務を通してあらゆる業種の人たちとも出会う機会ができ、自分のキャリアにもプラスになるという実感が持てたそうです。

そんな仕事を約5年続けたあと、副部長に昇進しましたが、志釜さんの内心は穏やかではなかったようです。

「2016年から2022年にかけて、その後の私の人生に大きく影響を与える三つのことが起こりました。たまたま同じタイミングで訪れたんです」

一つ目が、マネジメントに悩んだことです。

「副部長になる以前からのことだったんですが、5、6人のメンバーのリーダーをやっていたものの、どうもうまくいきません。今振り返ると、メンバーの心情を考えないで、機械的に指示を出したり命令したり、ともかく自分の思うままにマネジメントしようとしていたんですね。

それで反発をくらいまして……。1年くらいはメンバーとはただただ仕事だけでつながっているような関係でした。無視される……いや、総スカン状態ですかね」

以前もSIer時代やフリーのときに、チームで仕事をしたことはありました。しかし、いずれも自分の仕事に専念して、ほかの人の気持ちまで深く考えることはありませんでした。誰もが仕事に追われていたのもあり、それはそれで支障が出なかったのです。

しかし、サイボウズで自分がマネジャーになると事情は違いました。仕事を自分の思い通りに進めたいがために部下には強引な指示を出し、チーム内にはいつもぎこちない雰囲気が漂っていました。仕事も思うように回らず、やがて辞めていくメンバーも……。

自分には何かが絶対に必要だと感じるようになりました。

そんなときに二つ目の出来事があり、変化が生まれました。

組織変革のコンサルティングをおこなう、チームワーク総研の仕事に関わるようになったことです。

「こんな組織開発の仕事もあるのだなとハッとし、自分に必要なのはこれなんだと気がつきました」

目標に向かい、強引にメンバーを引き込み、がむしゃらに進むマネジメントをしても、仕事の成果は上がりません。

目標達成のために必要なリソースを計算し、計画を立て、進行を管理していきました。

メンバーとはコミュニケーションを密にしながら、モチベーションのアップを心がけ、その力を最大限に引き出すようにしたのです。

### ▼さまざまな「学び」を経て、マネジメントに真剣に向き合う

チーム全体のパフォーマンスを上げるため、あらゆることに目を配りながら、調整し

ていくのがマネジャーの役割です。

こんな世界があるのだと改めて気づくとともに、きっちり答えが出るシステムやプログラムの世界とは違って、人によって取り組む姿勢や結果が異なるという未知の世界に魅力を感じました。

志釜さんに訪れた三つ目の出来事が、中小企業診断士の資格を取ったことでした。

業務上に必要だからとPMP（プロジェクトマネジメント・プロフェッショナル）の資格を取り、その勢いで中小企業診断士の勉強も始めた志釜さんですが、その過程で改めて、マネジメントや組織開発の重要性がわかってきました。

これらの経験から、自分は今、マネジメントに真剣に向き合う必要があると考えるようになりました。

「まずやったことは、メンバーとの対話ですね。1on1ミーティングは1カ月に1回、必ずやっていたので、その記録を取って、前回話したこと、これまでの経過を必ず頭に入れて、次のミーティングに向かうようにしました。それから傾聴。ひたすらメンバーの言いたいこと、思うことに耳を傾ける、ということですね」

マネジメントの理論は、PMPや中小企業診断士で得た知識がありましたが、自分に今、必要なのは実践だと考えました。そこで、すでにおこなっていた1on1ミーティングを自分なりに工夫してやろうとしましたが、それだけではどこか物足りませんでした。

そこで、社内で実施されていたコーチング講座に参加することにしました。録画ではない生のオンライン講座を受ける形式で、実施は月に約2回、半年かけておこなうものでした。

次の講座までに2週間ほど空くので、その間、1on1ミーティングをはじめ、講座で学んだことを実践してみて、そのとき生まれた疑問を持って次の講座に臨みました。

講座というインプットと、実践というアウトプットを交互におこなうことで、志釜さんの中にマネジメントのノウハウが着実に定着していきました。

心がけたのは、メンバーから自分が学ばせてもらっていると考えること。そしてメンバーは自分の「映し鏡」である、ということでした。

1年ほどかかりましたが、1on1ミーティングの効果も実感できるようになっていきました。メンバーがプライベートなことも話してくれるようになったのです。

「あまり仕事の話はしないというか、下手をすると100%プライベートの話しかしないようなときもありました。やっぱりその人の人となりがわからないと、どういう仕事への向き合い方になるのかもわかりません。その人が今どういう状態にあるかを把握した上で、ちょっとだけ仕事のことを考える。そんな感じでしょうか」

## ▼現場で働く人の思いを汲んだコンサルティングを追究

そんな経験を経て、2023年春、志釜さんはチームワーク総研に異動になりました。それまでのシステム開発とはまったく違う世界ですが、まさに自分が望んでいた仕事でした。

部下もおらず、何もかも一人でしなければならなくなりましたが、志釜さんにとっては出合うべくして出合った仕事です。今、志釜さんはやりがいにあふれた仕事に打ち込んでいます。

それまでのエンジニアリングとはまったく違う、組織開発の世界にすごく興味が湧き、どっぷりと浸かるようになったわけです。

コンサルティング先の企業でセミナーをおこなうときは、その従業員たちが持つモチベーションに必ず気を配るようにしています。そして、主役は受講者であり、決して押しつけにならないようにしているそうです。

「あなたはどうしたいのか？　セミナーを受けるときも、受講者の方には、あなたにはどんな課題があって、これを学べば、何ができるようになるのか――。受ける側の事情を知って、どうしたいのかを聞くようにしています」

これまでのシステム開発とはまったく違う仕事ですが、接点は大きいとも言います。

現在、ＤＸを組織に定着させたいという依頼は数多くありますが、志釜さんは、「ＤＸとは、ＩＴと組織開発とをかけ合わせることなんですよね」と言います。

「ＩＴ技術によって仕事の効率を大幅にアップさせようというのがＤＸですが、単に職場に新しい技術を導入すればいいという話ではありません。

技術を活かしていくためには、人がついていかなければ始まりません。人が育つためには、人へ投資しようという姿勢、つまり経営のあり方そのものも問われると思います」

## ▼システムエンジニアから、組織変革・組織開発のコンサルタントへ

「ＳＩｅｒをやっていた頃から、どのようなシステムを作るかという最初の要件定義を、

たった一人の担当者の思いやこだわりで決めてしまうようなことが往々にしてありました。

そのシステムを実際に使う現場の人たちのことはまったく考えずに作るので、完成させても思ったように使えない不幸なシステムになってしまいました」

仕事の現場にはいったいどのような課題があるのか、その課題を解決するためには、システムをどのように作っていけばよいのか。志釜さんは、現場で働く人によるグループワークが絶対に不可欠だと言います。

「議論を重ねながら、システムのあり方を定めていきます。同時にチームワークも作っていくようにします」

DXとは、ITという新しい技術を導入するとともに、組織変革、組織開発をともなって、初めて機能するというわけです。そこまでして初めて現場の人たちが使いやすいシステムができ、本当のDXが定着していきます。

「DXは、ITと組織開発とのかけ合わせ」とは、ITの仕事に長く携わり、かつ、マネジメントの重要性を身をもって理解した志釜さんだから言える、説得力のある言葉です。志釜さん自身、「IT×組織開発」という考え方が、自分の仕事に厚みを与えてくれたと感じています。

システムエンジニアから、組織変革・組織開発のコンサルタントへ。華麗なる転身に見えますが、二つは志釜さんの中でしっかりとつながっています。マネジメントに苦労し、胃の痛むような日々を過ごした経験を経て得た、大きな成果といえそうです。

「若い頃は怖いものはないし、やりたいことはどんどんやって、やりたくなければすぐにやめていました。それが可能な時代でもありました。でも、苦しいことを経験した今は、自分が人として成長したいし、またそれを仕事としても続けていきたいと思うようになりました」と志釜さん。

ＩＴという分野は特に変化が急激で、ここでキャリアを築こうとしても、どういう未来を描けばいいのか、何を勉強し続ければいいのか、わからなくなってしまいかねません。

しかし、そんなときは、社内で知り合いの輪を広げたり、外部の勉強会や交流会に参加したりするなどして、自分の世界を広げてみることが大事だと志釜さんは言います。

「いろんな人と仕事をしたり、外部の人も含めて、いろんな人と出会ったりすることで、選択肢を広げることができます。選択肢をどんどん広げていけば、その中から自分がおもしろいと思えること、興味のあることを見つけていくことができます。私も、中小企業診断士の資格を取ってから外部の人とのつながりがどんどん広がり、ビジネスにもつながっています」

失敗から「学び」、自分の視野や可能性を広げるために「学ぶ」。「学び」を通して、新しい人と出会う。そんな世界もあるようです。

# 第4章

# よりよい「学び」を始めるコツ

# 「学び方」のヒントがあちこちに

ここからは少しトーンを変え、ベネッセが持つ教育知見や、Udemyのサービス特長からの「学び方のヒント」について、ご紹介させてください。

ベネッセは、幼児〜高校生向け通信教育など、教育に関するビジネスに長年携わってきました。

そんな子どもたちの教育に関する知見は、大人向けの教育と共通する部分もあります。

この章では、ベネッセがこれまで提供してきた子どもたち向けの教育のサービスとともに、Udemyなど大人向けの教育サービスを通じて見えてきたこと、わかってきたことを整理して、大人の「学び」に役立てられるヒントを紹介していきたいと思います。

子どもたちが学ぶ上で大切なのは「自己効力感」、すなわち「自分はこれができる」という自信です。子どもたち向けの教材開発では、「簡単な問題に正解できたら、少しずつ難しい問題にステップアップする」「キャラクターや先生などからのほめ・励ましを取り入れる」など、自信を育む工夫を大切にしています。

「自己効力感」は大人が学び続ける上でも大切です。「自分の力でできるようになった」という実感は、次の学びに向かう原動力になります。

自己効力感を持ち、学習を継続している大人の「学び方」には、共通する特徴が三つほどあると感じています。

### ①「なぜ、どう学ぶか」——目標を設定し、必要に応じて修正する

一つ目の特徴は、「自ら目標を設定し、必要に応じて修正している」点です。「なぜ、どう学ぶか」目標を設定するだけでなく、状況の変化に応じて目標を柔軟に見直し、軌道修正することも大事です。

### ②無理なく、少しずつレベルアップする

二つ目の特徴は、「無理なく、少しずつレベルアップしながら学んでいる」点です。まず、「学ぶ」ために大きな目標を持ったとしても、最終的なゴールへ向かうまでの道程は、細かく刻んでいくことをおすすめします。

小さな目標を少しずつ一つひとつクリアしていくことで、やり遂げたという小さな達

成感が得られ、蓄積されていきます。それが日々、「学び」を続けるエネルギーになり、大きな目標に着実に近づいていけるようになります。

## ③楽しみながらアウトプット——学びの成果を共有する

三つ目の特徴は、学習して得たスキルを用いて「楽しみながらアウトプットしている」点です。

アウトプットすることで、学んだことが身につきます。また、成果が目に見える形になれば、大きな達成感を得られます。

大人の場合、覚えたスキルを実際に仕事で使うことが一番のアウトプットでしょう。パワーポイントの使い方を学んだら、さっそくプレゼン資料を作ってみる。そして、実際に発表もする。そこまですれば、確かな成果として自分の記憶に刻まれます。

また、学んだことを周りの人に教えることも立派なアウトプットです。アウトプットすることで、確かに「学んだ」効果はあったのだと実感でき、得られた達成感や満足感は、次に学ぶための強い動機づけになります。

そこから新たに「少しずつレベルアップ」しながら「アウトプット」すれば、また次の「目標」になる……。「目標」→「少しずつレベルアップ」→「アウトプット」→

……のサイクルが回り始めます。

サイクルを回せば回すほどスキルの蓄積は増え、自分自身が向上しているという自覚、「自分はこれができる」自己効力感を持てるようになります。

それがうれしくなり、「学ぶ」ことにつきものの退屈感や苦痛が緩和され、ワクワクしながらスキルを身につけていけるようになります。

# Udemyの「やり方」を自分の学びに取り入れる

ここからは、少しだけUdemyの話をご紹介させてください。

2015年、ベネッセが米国のUdemy社と業務提携して立ち上げたのが、Udemy（日本版）です。また、2019年からは企業向けのUdemy Businessも展開しています。

どちらのサービスにも、困ったときのサポート体制はもちろん、初めて学ぶ人であれば自分に合った講座を選べたり、途中で飽きずに続けられるよう、一人ひとりの「学び」を促す工夫があちこちに施されています。

サービス設計そのものに「学び」をうまく進めていくためのヒントが詰まっているといえるでしょう。

Udemyのサービスの特長を通して、みなさんの学びに活かしていただけるようなアイデアを紹介していきたいと思います。Udemyに限らず、一般のオンライン学習でも活用できるヒントもありますので、ぜひご自身の学びに取り入れていただければ幸いです。

# すぐに・どこでも、いつでも「やる習慣」を身につける

オンライン動画学習サービスの特長は、パソコンやスマホがあれば、いつでもどこででも時間と場所に制約されることなく、自由に「学び」ができることです。学ぶ分野、用いる教材、進めるペースを、あなたのために「個別最適化」でき、わずかな時間を有効に使うことができます。

わからないことがあれば、動画を止めたり、何度も繰り返し見たりしながら、自分のペースで学習を進めることができるのです。

①すぐできる（すぐにアクセスできる）
②どこでもできる
③短い時間でもできる（スキマ時間でもできる）

この特長をうまく使って、自分の学びに取り入れていく例を紹介します。

# やろうと思ったら5秒以内でアクセスする

たとえばUdemyの場合、iPhoneやAndroidのスマホのホーム画面の一番タップしやすい場所にアプリを配置しておきます。あるいは視聴しているオンライン講座のURLを記録した「ショートカットアイコン」を作り、やはりすぐにタップできるところに置いておきます。

ある方は、「5分でもスキマ時間があればすぐ学ぼう」と、自分のスマホを2回振れば、Udemyのアプリが立ち上がるように設定していました。振ってアプリを立ち上げる「スグアプ」機能は、ドコモのAndroid12以降のスマホで可能です。

ここまで環境を整えた上で、朝起きたら、電車に乗ったら、昼休みになったら、すぐにタップしてオンラインコンテンツを立ち上げます。

動画なら見るだけですが、記事を読んだり問題を解いたりするのは少し大変かもしれません。であれば、まずは「立ち上げること」をゴールにするだけでもいいでしょう。

アイコンを押す「習慣」づくりから始めるのです。

「やろうかな」「できそうだな」と思ったらタップする。まずは、この流れを習慣化させるのです。

最初はそれだけでかまいません。

その後、少しずつハードルを上げていきます。

「30秒だけ見る」「1問だけ解く」など低い目標からスタートし、無理はしません。忙しくてどうしても学ぶ時間がとれないときは、アイコンをタップするだけでＯＫ。「とりあえずアクセスだけした」でかまいません。

「どんなことがあっても、続けられた」という小さな成功体験を積み上げることが大事です。失敗しながらも習慣化に取り組むことで、少しずつ自信が積み上げられます。

# 検索こそが学びのファーストステップ

「何を学べばいいかわからないんです」

たくさんの方からこの質問を受けますが、そのときに私は必ずこうお尋ねします。

「何か検索しましたか？」

ほぼ１００％の人が「しました」と答えます。

「であれば大丈夫ですね！」

質問した人は「？」という顔をしますが、私は笑顔でＯＫマークを出します。

「生成ＡＩに尋ねた」という人も同じくＯＫです。

検索は能動的な行為です。

「何をやればいいのかわからない」と思いつつも、自分からアクションを起こしたということです。

これって冷静に考えるとすばらしいことだと思いませんか？　私はよく、検索は意欲の表れということを話します。

Udemyのサイトでも、多くの人が最初におこなうアクションは検索です。

あなたがペンを買いたいと思ったとします。家の近くの文房具店に足を運び、お店の中に入り、「筆記具」のコーナーを探して歩いている姿をイメージしてみてください。まさにこれがネット検索です。

Udemyに来た方が検索するのも、「学びの図書館」に足を運んでフロアマップを見ようとしているようなものです。ものすごくアクティブな自分がいると思いませんか？

「実はまだ検索すらしていない」という人もご安心ください。この次に、より効率的にやりたいことが見つかる検索方法をお教えします。

# やりたいことがすぐに見つかる「かけ合わせ検索法」

やりたいこと探しの第一歩は検索とお伝えしました。ではどのように検索すればよいのでしょうか。

私のおすすめは「かけ合わせ検索法」です。

「○○で●●したい」

ChatGPTなどの生成AIを使って検索する際も、「○○で●●したい」とプロンプト（指示）を書くことで、ヒントとなる情報を得ることができます。

・パワーポイントでプレゼン資料を作りたい

・ChatGPTで報告書を作成したい

このように、学ぶ対象が具体的であれば、検索は比較的スムーズです。

より具体的な答えがほしいときや先ほどの文章を作れないときは、二つ以上の言葉を組み合わせて検索します。

「1時間で」「美しく」「わかりやすく」といった要望や、「社内向け」「営業用」といった用途・目的を足していくイメージです。

例：1時間　報告書　社内　作り方

ここまで自分のやりたいことがわかっていれば、検索結果を見て、さらに自分で絞り込んでいくことも可能でしょう。

ただし、これは具体的にやりたいことや課題がわかっている場合の方法です。多くの場合、「何をしたいのか」と問われたとき、明確に言語化できるとは限りません。そのような場合、どうすればモヤモヤした自分のニーズを満たすことができるでしょうか。

# 「文系社員がＩＴに強くなりたい」から始めるＡＩ質問術

第3章で紹介したように、現状にモヤモヤしている人たちの声を掘り下げて聞いてみると、「こうなったらいいな」という想いがあることがわかります。ただ、その次の一歩が見つからず、悩んでいる方が多いように思います。

「（文系だけど）ＩＴに強くなりたい」「効率よく働きたい」「企画力を上げたい」「コミュニケーション力を高めたい」「リーダーシップがほしい」「数字アレルギーを克服したい」などです。

なんとなく「こうなったらいいな」というものはあるけれど、じゃあ何の「学び」を始めるのがいいのか。

漠然としたものしか思い浮かばず、悩みます。

とりあえず「効率」とか「企画力」とか、「コミュニケーション力」、「リーダーシップ」など、思いつく言葉で検索しながら、徐々にこれはという講座やテキストに絞り込んでいくことになると思いますが、これは正直おすすめできません。

通常の検索では時間がかかる上に、途中、方向を間違えると、見当違いの回答が出てくることにもなりかねないからです。

この場合は、いきなり検索するのではなく、まず生成ＡＩに聞いてガイドしてもらうというやり方があります。

名づけて「ＡＩ質問術」、上司や先輩に相談するかのように、プロンプト（指示）を作りましょう。

プロンプトは、個人的な感覚として「です・ます調」のほうがよい気がしています。

〈プロンプトの例〉

私は文系社員です。

ＩＴに強くなるために何から学んだらいいでしょうか。

おすすめの科目や講座、動画、本、身につけるべきスキルなどがあれば教えてください。

ChatGPTやBardなどの生成ＡＩに尋ねると（Bardで検索した場合）

・基礎知識を身につけることが大切です
・科目は「情報工学」「情報処理」「情報システム」「データサイエンス」
・講座は「UdemyのＩＴ講座」（なぜかホッとしました笑）
・身につけるべきスキルは「プログラミング」「データ分析」「セキュリティ」「クラウド」「デザイン」

と出てきました。

このように「文系の私がＩＴに強くなりたい」からスタートして、かなり具体的に何を学べばいいのかが見えてきたかと思います。

余談ですが、Udemyの法人向けサービスUdemy Businessには、利用者の興味や関心をもとにおすすめ講座をレコメンドする「Learners' Station（ラーナーズ・ステーション）おすすめ診断」という便利な機能があります。

法人対象におこなってきたキュレーションサービスで得た膨大な情報をもとに、今後ＡＩを活用しながらおすすめ精度を上げていくことを計画しています。使う人が増えれば増えるほど、精度は高くなっていきますから、みなさんに使っていただきながら、より使いやすいものに現在進化中です。

# ただ「眺めるだけ」でも可能性は広がる

検索は能動的な行為だと書きました。

先ほどペンを買いに文房具店に行く例をあげましたが、あえてもっとゆるく、視野を広げて「学びたいこと」を探してみるのもおすすめです。

ショッピングモールに出かけて、ブラブラとお店を見て歩くのと同じで、いろいろな講座を覗いてみることで、「こんなことも学べるのか」と新しい出合いを楽しんでいただきたいという提案です。

Udemyは学びのプラットフォームです。

Udemyで学べる講座は21万以上、ExcelやPower Pointの使い方に始まり、プログラミングやWebデザイン、英語学習、ビジネスマナー、スイーツの作り方や、紅茶のおいしい淹れ方、飲み方まで、実に多様な講座が揃っています。

「DXに関する知識を得ようと思ったのに、なぜかクラシックギターが弾けるようになる講座を受講していました」。30代のKさんはニコニコしながら話してくれました。

「30代になると、『自分のできること』がよくも悪くもはっきりしてきます。だんだんと興味の幅も狭くなり、仕事にも余裕が出てきたぶん、飽きも感じて……。気づけばプライベートも含めて何事も『こなす』毎日になっていたんです。

そんなときに、学生時代に少し興味があったクラシックギターというものを偶然見つけて、そういえば興味があったなと思って、なんとなく講座を覗いてみました。そうしたら思いのほか楽しくて、今では本格的に楽器を買おうと、休みの日は楽器屋さんをめぐっています」

Kさんは「これからの人生、一生かけて学んでいこうと思える何かを見つけたことが本当にラッキー」と言っていました。

セレンディピティ（偶然の産物）という言葉がありますが、目的を意識せずにただ眺めることで、本当にやりたいことが見つかるかもしれません。ぜひやってみてください。

# 「何を学ぶべきか?」の探し方

先ほど紹介した検索法やＡＩ質問術は、次に何を学習しようかという手がかりを得るためにも有効です。

YouTubeやTikTok、Instagramのリールなどは、一度検索すると検索ワードに関連する動画が次々と流れてきます。

玉石混交、当たり外れはあるかもしれませんが、次に学びたいものが見つかることもあります。

「学び」そのものが楽しくなれば、まったく違う分野に挑戦してみるのもありでしょう。

そんな人のために、ベネッセではUdemy（日本版）の講座を解説するUdemyメディア（https://udemy.benesse.co.jp/）というサイトを用意しています。Udemy利用者でなくても無料で読めますので（会員登録なども不要です！）、ぜひ一度覗いてみてください。

などの「開発」「デザイン」「AI・データサイエンス」「ビジネス」「マーケティング」などのカテゴリー別に、それぞれの分野の講座を受ければ、何に役立つのか――、どんなことができるようになるのか――ごく基本的なことがわかる記事が並んでいます。

「何か学んでみようかな?」と考えている人の疑問に応える内容にもなっていて、関連する講座も紹介されています。

パラパラと立ち読みをするように見ていくだけで、各分野の最新動向も見えてきます。

特に日々の革新がめざましいIT分野の講座の解説は、そのまま技術動向の最新ニュースとしても読むことができます。

学びの情報収集としてご活用ください。

# 何を学ぶかも大事だけれど、誰から学ぶかも大事

少し話は逸れますが、みなさんの小学生の頃に好きだった教科は何ですか？　私は、最初は体育でしたが、その後あることをキッカケに社会が好きになりました。

社会が好きになった理由は、小学校3年生の頃、学校の近所の商店街の歴史や、大型スーパーと商店街の小売店の違いなどを調べ、街頭インタビューなどをし「利用者の声」や「お店で働く人の声」などを聞き、おもしろいと感じたからです。世の中をより多角的に見るおもしろさと、多様な価値観が存在し、立場が変わると「正解」が変わる複雑性に、探究心が掻き立てられました。

でも、本当に好きになったキッカケは、実は多くの経験学習をする機会を与えてくださった「社会の先生の教え方」が好きだったからかも、と今振り返ると思います。ディスカッションが中心という、ある種、大学のゼミや研究会のような形式の授業でしたが、生徒の意見を聞きながら議論やインプットすべき事項を構造化し、体系化しながら進行

していく授業はとても楽しく、刺激的でした。最初は自分の意見がどれだけ取り上げられるか、が喜びのバロメーターでしたが、いつしかそれよりも議論全体をよりおもしろくしたり、活性化させるためにはどういう観点・視点・知識があるといいかを考えるのが喜びのバロメーターになっていました。

知識が増えることに加え、それを周囲に教えたり、さらには自身のためよりクラスのために学ぶことで、学びに向かう活力が生まれ続け、何より楽しさが増していくという「学びから得られる多層的な喜び」を先生が教えてくださったのが、その後の人生の大きな財産になりました。こう考えると、何を学ぶかも大事ですが、誰から学ぶかもとても大事だと思いませんか？

さて、Udemyのことに話を戻しますが、このサービスのユニークなところは、教えたい個人が動画などの教材を提供し、学びたい個人がそれを探し出して購入・受講できる点です。教えたい人と、学びたい人とがここで出会うことで、「学び」が循環しています。実は、この講師たちの中には、もともとUdemyで学んでいた方が講師になっているケースも多数あり、まさに「学びのマーケットプレイス」でもあり、「学びの循環エコシステム」でもあるのが特長です。

「学び」のマーケットプレイスでは、講師と受講生は対等な立場です。どれほどの人がその講座を受け、どのように評価されているのか——各講座の受講生数や評価が表示されるので、それを目安に講座を選ぶことができます。

人気分野には多くの講師が集まります。教え方ももちろん講師で異なり、なかには非常に個性的な人も登場します。

たとえば、「ChatGPTを学びたい」と検索すると、1万以上もの講座が出てきますが、その中から、自分に合った講師を探し出して学ぶことができます。

同じ「教える」「学ぶ」仕組みであっても、決められた教室で、決められた教師の講義を、決められた時間に受けるのとは明らかに異なります。

ネットで買い物をするとき、商品の評価や売り手の評判をチェックすることがあると思いますが、Udemyにはそれと同じ仕組みがあるわけです。

まさにこれも、CtoCプラットフォームの特長といえるでしょう。

# 自分に合った「先生」の見つけ方

Udemyには、受講生が講座を評価する制度があります。

講師は、これら講座の評価や受講者数を見ながら、講座の内容を見直したり、新しい講座を作ったり、伝え方を工夫するなど、絶えずブラッシュアップしています。

まさに学びのマーケットプレイス――「市場」の競争で講師も講座も磨かれるなか、受講生は質の高い講座を自由に選ぶことができます。

選ぶ目安として、このように講座の評価や受講生数がありますが、人気講座が自分にとって最適かといえば、必ずしもそうとは言い切れません。

ではどうやって、自分に合う先生かどうかをチェックすればいいでしょうか。

次の三つに着目するといいでしょう。

①無料プレビュー動画でどんな講師か確認する
②講師のプロフィールを確認する

③受講生の感想をレビューで読む

## ①無料プレビュー動画でどんな講師か確認する

百聞は一見にしかず、まずは実際に講師がどのような方なのかを見るのがいいでしょう。話し方、声のトーン、説明の仕方、プレゼン資料のわかりやすさなどをチェックします。

Udemyの講座には「無料サンプル動画」がありますし、YouTubeなどでは無料で講座を見ることができますので気軽にアクセスできます。

## ②講師のプロフィールを確認する

どんな経験をしてきた人かをチェックしましょう。

Udemyでは、受講生として「わからなくて困ったこと」や「仕事で急に必要になった」ことを学んでいるうちに、自分でも教え始めた講師の方が多くいます。

そんな講座は受講生目線で作られているものが多く、人気を博しています。「自分と同じようなキャリアを経た講師の講座はわかりやすい」という声もよく伺います。

講師のプロフィールも、自分が求めている学びへの大事な判断材料となるでしょう。

### ③受講生の感想をレビューで読む

レビューで講座のレベル感をつかみましょう。

生の声はとても参考になるだけでなく、自分と同じようなモヤモヤや課題を抱えた方のコメントも見つかるかもしれません。それは自分のモヤモヤの言語化につながるでしょう。

# 究極の学びは「教える」こと

Udemyの人気講師のみなさんは、よく「学ぶための一番の方法は、教えること」と話しています。

「学ぶための一番の方法は、教えること」とは、実は日本でもよく聞くことです。もとをたどれば、紀元前13世紀頃の中国・殷《いん》王朝時代の宰相、傅説《ふえつ》の「斅《おし》うるは学ぶの半ばなり」（教えることで自分の理解や経験の不足を知ることができる）だとされています。

人に教えるとなれば、自分の知識や経験を体系化したり、わかりやすく伝えるために、新たに工夫が必要となります。そのために改めて「学ぶ」必要も出てくるでしょう。

Udemyでは、誰でも講師として動画や教材を投稿することができ、それを誰でも受講生として利用することができます。講師となってからも、自分の講座を磨き続けるためにUdemyで学び続ける人もまた数多く存在します。

つまり受講生から講師へ、講師から受講生へという、「学ぶ」ことと「教える」ことの循環が生まれています。この循環をグルグルと回すことで、講座も、講師でもあり受講生でもある当人たちも、どんどん磨かれ、質が向上していくというわけです。

# 学びには「垣根」をなくす力がある

自分よりもずっと若い部下を持ち、価値観が合わずに苦労している人や、仕事の進め方が自分とまったく違う人と協力しなくてはいけず、苦労した経験はありませんか？
しかし、たまたま研修で同じ講座を受けてから話す機会が増えたり、仕事以外の話もするようになって仕事上の対話もしやすくなった。そこから気軽にアイデアを出せるようになり、仕事の生産性も上がった……。そんな人たちがいます。

こんな例もあります。

異業種ならば気軽に情報交換できても、同じ業界内の企業はライバル同士であるため、なかなか情報交換がしづらい。

でも、ちょっと話してみると、同業種ゆえに従業員についての悩みも共通しており、意外に抵抗なく、お互いの情報をオープンにできた。

実際、私も、同業種の企業の人たちが具体的な例を出し合いながら、率直に「学び」

についての解決策を話し合っている光景を目にしてきました。

「学び」は、普段の関係を離れて、「共通の原体験」を生むことで、人と人とをつなぐ特別な効果があります。学ぶ人は、立場や年齢に関係なく、みんな「仲間」になれるのです。

COLUMN

「学び」の先輩インタビュー❹

# 新たな学びで地元に貢献

## 西田真帆《にしだまほ》さん

生まれ育った大分の佐伯に戻り、父親の会社の広報として再出発した西田真帆さん。海産物を扱う会社の娘なのに魚の名前もわからず、社員はあきれ顔、Instagram の反応はなし……。

胃の痛む日々が続きましたが、撮影を学び、写真加工もホームページの作り方も覚えて、徐々に信頼されるようになりました。

今では、地域を幸せにしようとしている地元の人たちの魅力を伝えたいと思うように。自分の役割も見えてきたそうです。

### ▼「絶対に帰らない」と決意して向かった東京から帰郷したワケ

西田真帆さんは、大分県にある佐伯海産株式会社の3代目社長、西田善彦氏の娘として生まれ、高校までは県内の学校に通っていました。東京の大学に進学するときは、「絶対に地元には帰ってこないぞ」という決意で上京したそうです。

佐伯海産のある佐伯市は、大分県の南に位置し、豊かな土地と海に恵まれた、農林畜産業も水産業も盛んな地域で、県内の水産業生産量の65％を占める水産都市として知られています。

西田さんが働く佐伯海産も、社名からわかる通り、ここで水揚げされる魚介類を扱う会社です。創業は明治35年、海産物の卸業として出発しましたが、今は小売業が主な事業で、水産加工品や鮮魚をメインに取り扱う大型小売店「さいき海の市場◯《まる》」と「鮮度壱番」を運営するほか、佐伯市が所有する「道の駅やよい」の指定管理業務をしています。

学生の頃の西田さんにとっての佐伯市は、地方の小さなまちの一つにすぎませんでした。実家の事業は弟さんが継ぐことになっていたこともあり、自分の道は自分で、という気持ちが強かったのです。

しかし、大学のゼミで地元を研究したことがきっかけで、故郷を見直すことになりました。

「地方の産業を支えている外国人技能実習生について調べてみたらどうかと、担当教授からすすめられました。当時は、低賃金で働かされているなどといった暗いニュースが多かったんですが、父の幼なじみで、実際に技能実習生を受け入れている会社の経営者の方にお話を伺うと、技能実習生にまるで本当の家族のように接して幸せな職場を作っていました。ベトナムや中国から来た方々ともお会いしましたが、みなさん本当にいい顔で働いていました」

西田さんは、そのとき初めて、生まれ故郷について自分は何も知らなかったのだとショックを受けました。

### ▼父の会社の広報を担当するも、ストレス過多で体調不良に

大学卒業後、西田さんは東京の人材紹介会社に就職し、仕事でいろいろな経営者と出会いました。その中で、佐伯で会社を営む父親のことや、外国人技能実習生について話を聞いた経営者を思い出し、日に日に地元の産業について知りたいという思いが強くなっていきました。

「このまま東京で働いて、もし結婚したり子どもを生んだりしたら、もう佐伯に帰ることはなくなってしまうかもしれない。後悔するのではと思ったんです」

2020年の春、西田さんは故郷へ帰ることを決心しました。

「父は、帰ってくるはずのない娘が帰ってきたので、どう扱っていいのかわからず戸惑っていたと思います。それでも『今まで誰もやってなかったことをやってくれ』と言ってくれたので、私なりにその言葉の意図を考えて、SNSで情報発信をすることにしました」

西田さんは、佐伯海産の企画室で広報を担当することになりました。

会社が運営する「さいき海の市場○《まる》」と「鮮度壱番」、そして「道の駅やよい」の各店で扱っている海産物をはじめ、地元の野菜やそれらを材料にした惣菜類や加工品などを、Instagramで紹介し始めたのです。

「といっても、当時の私は魚の『顔』を見ても、名前はいっさいわかりません。毎朝お店に行くのですが、そのたびに売り場の人に『すみません、全然わからないんです』と言って、魚の種類も、旬の時季も、さばき方も、食べ方も、全部一から教えてもらいながら、写真を撮って発信していました」

西田さんは3店舗の売り場を取材しながら、スタッフに話を聞いて回りました。地元の魚市場にも足を運ぶようになり、魚のことは会社の2人の鮮魚マネジャーから徹底的に教わったそうです。2人は市場の仲買人の資格を持ち、鮮魚の買い付けのベテランでした。

初めは全然区別がつかなかった魚の顔も、「この顔はアレに似ている」とキャラクターになぞらえて覚えれば、楽しくなっていきました。

「お店のスタッフさんも、社員さんも、私の行動を見て『なんじゃこりゃ!?』って顔をしていましたね。突然、社長の娘が東京から帰ってきたかと思うと、一眼レフカメラを持ちながら、あっちへ行ったりこっちへ行ったりし始めたんですから」

西田さん自身も、誰もやったことのなかったInstagramでの発信という仕事を、みんなが認めてくれるのか、内心、戦々恐々としながら働いていたそうです。

当初はInstagramへの反応もまったくなく、西田さんの気持ちを余計に重くしました。模索しながらの日々で周りの目も気になり、入社3カ月目にはストレスで胃を壊したそうです。

「怖かったですね。『すみません』『すみません』って言いながら写真を撮っているみたいな……」

また、情報発信をやっと軌道に乗せたと思ったら、今度はそれを見てもらうフォロワーを増やすという課題も持ち上がりました。

### ▼撮影法や画像加工の技術を学び、仕事に変化が

しかし、そこで西田さんを支えたのが「学び」でした。

Instagramは写真や動画を手軽にアップできることが大きな特長です。ユーザーも、目を楽しませてくれる画像を期待しています。

そこで、西田さんはより多くの人の目を引く写真を撮るために、カメラの使い方を覚えようとしました。使い方のガイドブックを読んで研究したり、食べ物を多く映しているYouTubeを見たりしながら学びに取り組みました。

「一眼レフカメラを使うのは初めてだったんです。当初はただシャッターを押すだけでしたが、やがて構図を考えるようになり、露出で明るさを調整すれば、獲れたばかりの魚の鮮度を伝えられることを知りました」

地元の食材の魅力をいっそう引き立てるためには、画像処理の技術も大きく影響することを知ると、それを学ぶ方法を探しました。Udemyの料理写真の講座がとても参考になったそうです。

こうして、早朝から取材に出かけてはいろいろな人の話を聞いて写真を撮り、会社へ帰って記事を書きつつ、撮った写真を加工して、Instagramにアップする。その合間に学びもおこなう。そんな日々を続けました。

周りは魚に詳しい人ばかりです。魚の名前は一つたりとも間違えまいとメモを見直して、録音を聞き直し、佐伯市が作った『鶴見おさかな大百科』で何重にもチェックをしましたが、それでも間違ってしまったことも……。

ため息の出る日もありましたが、それにもめげず情報をアップし続けたところ、店のお客さんらしき人たちからコメントが入り始めました。

「『この商品おもしろいね』という励ましの言葉もあれば、お叱りもありました。徐々にフォローしてくれる人も増えていきました。

お店のスタッフや社員からも、『見たよー』という声があがるようになったり、『今度はこういうのを載せて』と、アイデアを出してくれるようにもなりました」

現在、佐伯海産のアカウントのフォロワーは５０００人を超えています。毎日、西田さんのアップする情報をチェックするのが日課になっている人もいるようで、情報発信した直後に、掲載した商品を目当てに買いに来てくれる人もいます。写真が好きな人から「最近、写真の腕が上がったね」と言わるようにもなりました。

仕事が楽しくなっていきました。

この仕事を始めた頃の取材は、鮮魚や野菜などの一次産品とその生産者が中心でしたが、やがてそれらを用いた惣菜や加工品にまで取材の範囲を広げていきました。

たとえば「ごまだし」は、地元ではもちろん、全国の消費者にも伝えたい佐伯の特産品です。焼いた魚と胡麻と醤油で作る、漁師の知恵で生まれた調味料ですが、その製造に関わる業者は市内でも10社を超えます。佐伯市が毎月10日を「ごまだしの日」に指定したこともあり、そのうちの1社を「ごまだしの日」に取材して、おすすめの使い方や製造に関わる姿勢を聞く取り組みも始めました。

### ▼Webサイト制作も学んで地元のさらなる魅力を発信

最近、各店では地元の商品に加えて、全国のこだわりの商品も揃えるようになりました。西田さんも、関東、関西、東北の会社に連絡を入れ、電話取材で集めた情報をInstagramにアップすることも多くなりました。

ある日、養殖方法や環境に配慮しているエビの養殖業者が滋賀県にあると聞くと、さっそく取材しました。そんな強いこだわりを持つ生産者や企業を探し出して情報発信していくことが、やりがいのある仕事だそうです。

ちなみにその会社は、西田さんが取材したあと、テレビの取材を受け、商品のエビとともに全国的に名前が知られるようになりました。

西田さんは、デザインやホームページの作り方もUdemyで学びました。

「道の駅やよい」のホームページは、西田さんが撮りためた約2万枚の写真を使いながら、デザイナーとともに半年ほどかけて制作しました。お店や市場で働く人たちの姿も見ることができ、地元の人たちがいかに仕事に打ち込み、地場産業を支えているのかが伝わってくるサイトです。

取材や撮影でインプットした直後に、素早く記事としてアウトプットすることは、西田さんの仕事のスキルをどんどん向上させました。

インプットとアウトプットのサイクルを作ることは、何かを「学ぶ」ときにとても効果の上がる方法です。

西田さんが得たものはそれだけではありませんでした。

「何を食べてもおいしいですし、やっぱりお魚は文句のつけようもないくらいおいしいですね」と、改めて地元の魅力に気づくことができたのです。

食べ物だけではありません。

「仕事を通じて本当にいろいろな生産者の方にお会いしました。みなさん一つのことに情熱を注いでいて、それがものすごいカッコイイ。そんな一人ひとりの方たちが、この町の幸せを支えていると気づけたことが、私にとっての大きな収穫でした」

そして自分の役割も見えてきました。

## ▼地元の若者に伝えたい、地元の魅力と挑戦する心

「お店には、地元の消費者の方ばかりでなく、漁師さんも、魚市場で働いている方たちも来てくださいます。地元の飲食店さんも利用してくださいます。佐伯海産を信頼してくださることが何よりうれしいですし、これからも地元で愛される店でありたいですね」

一方で、佐伯市に住む人でも、一度も干物を焼いたことがないという人もいます。そんな人たちに少しでも地元の魅力を伝えたい。地元の産品を手軽に使えるよう、ハードルを下げるような発信ができたらいいなと西田さんは語ります。

また、西田さんは、仕事のかたわら、地元の高校の「総合的な探究の時間」のコーディネーターも務めています。

「地元の海産物を活用した商品開発」というテーマでは、西田さんが仕事でできたつながりを使って、地元の生産者さんや業者さんに話をつないで、工場見学を実施したり、商品開発への協力を呼びかけたりもしました。

初めのうちは、いったいどうなるんだろうと心配しながら見守っていた西田さんです

が、ちょっと背中を押すだけで、高校生たちはどんどん自分で行動し始めたそうです。

生産者さんや業者さんたちとも直接コミュニケーションを取り、1年後には、干物の燻製や、新しいフレーバーのすり身、地元の素材を使った天丼などを開発しました。

「協力をお願いした会社の方とお話ししていると、長い歴史の中で培われた地元の信頼関係をものすごく感じます。受け継がれてきたものを、高校生のみんなにもつなげていきたい。それが自分のできることかなとも思っています。私自身、コーディネーターとして参加できてとても刺激になりました」

高校生に対して、西田さんは「自分にリミッターをかけないで」と話します。

「私が高校生の頃は、自分の可能性に対して、『このくらいまでだろう』と勝手に限界を決めていたようなところがありました。でも大学へ行くと、友人の中には、高校時代、東日本大震災のボランティアのために、高校生300人を集めて現地へ向かったという人もいました。高校生ってそこまでできるんだ、と思いました。

地元でできる仕事は限られていると思ってしまったり、周りが決めた不本意なことに従ってしまったりしがちですが、そんなことはしなくていいと思います。確かに難しいことは多いけれど、信じてやればできる、もっともっと可能性はある。偉そうな言い方になってしまいますが、高校生の子たちには、そんなことを一番伝えたいと思っています」

勝手に限界を決めずに、何にでも挑戦していく。それは西田さん自身の決意かもしれません。

西田さんは、佐伯からいったん離れたからこそ、地元のよさがよくわかったと言います。そして、それは自分の強みでもあると考えています。

「これからも地元の生産者や企業の方々のストーリーを伝えていきたいと思います。もう一つ、社員の方たちが本当に幸せになれて、ここで働いてよかったって思ってくれるような、そんな働く環境を作っていきたいとも考えています」

# 第5章

# 組織が個人の「学び」のためにできること

# 上司が絶対に言ってはいけないNGワード

最後の章では、組織に視点を移し、組織が個人の「学び」のためにできることを、実際の事例を踏まえながらご紹介させてください。

政府が国を挙げて取り組み、リスキリングという言葉が日本にずいぶん浸透したことで、従業員の「学び」に本腰を入れる企業や組織が増えています。

しかし、その取り組みには依然大きな差があるのも事実です。

経営戦略に紐づいて事業戦略・人事戦略上重要であると、早くから取り組み始め、着々と体制を築いている企業がある一方、必要性を強く感じながらもやり切れていない組織があります。

学ぼうとしている、もしくは学んでいる部下に、上司が絶対に言ってはいけない言葉があります。

それは「暇なのか？」です。

「（学ぶ）時間があるのなら〜」といった言い方もNGです。

いくら企業が積極的に「学び」を取り入れようとしても、現場がそれを受け入れていなければ、一向に「学び」は浸透しません。

従業員が「学び」に希望を持てるのか、それとも、やっても無駄と感じてあきらめてしまうのか。組織からの働きかけに対し、チャンスと喜んで受け止めるのか、押しつけとして苦痛に感じるのか。それもまた組織の姿勢次第です。

2023年にベネッセがおこなった企業へのヒアリングによれば、「従業員へのUdemy講座割り当て後、学習が進んでいないグループ」と「学習が進んでいるグループ」を比較観察したところ、企業から「成長を期待されていない」と感じた従業員は、学習が進んでいない傾向が見られました。

学んでいる従業員、これから学ぼうとしている従業員に対して、企業がどのような姿勢をとっているのかで、働く個人の「学ぶ」モチベーションや能率は大きく左右される。この結果は、その一例といえそうです。

見方を変えれば、学ぼうとする個人にとっては、属する組織が「学び」に対して、どのような姿勢で臨んでいるのかは、組織も従業員も「選び」「選ばれる」時代には大事な観点です。

もし、今あなたが働いている企業や組織が、「学び」に十分な理解があり、「学ぶ」ための仕組みを整えているのであれば、それを存分に活用しない手はありません。制度や仕組みを活用することで、あなたの「学び」の効率は飛躍的に上がり、大きな成果につながるでしょう。

でも、そうでないならば……？

# 企業や組織を「学び」のために活用する

会社が主催する自由参加の勉強会に参加したGさん。

勤務時間内の開催だったこともあり、上司から「そんな時間があるなら仕事をしてくれ」と、嫌味を言われたそうです。

このひと言がきっかけとなり、Gさんは35歳で転職しました。

「部下の成長に興味がない上司がいる会社にいても、なんのメリットもありません。今の会社は『学び』に積極的で、年齢や役職関係なく従業員一人ひとりがアップデートしていこうという組織風土があります。

前の会社では得られなかった成長実感があり、今の会社に移って正解でした」

Gさんの場合、転職という大きな決断をしましたが、誰もがそう簡単にできるわけではありません。

今、日本中の企業がDXやリスキリングのかけ声とともに大きく変わろうとしています。

あなたが所属する組織の「学び」への取り組みにどこかもの足りなさを感じているのならば、もちろん組織外に「学び」を求める方法はあるでしょう。でも、あなたの働きかけで、組織が変わる可能性は十分にあり得るのです。

# 「学び」で進んだ企業の三つの特徴

「学び」への取り組みが進んでいる企業・組織には、いくつかの共通点があります。

## ①「人的資本経営」を掲げている

もっともわかりやすいのが「人的資本経営」への取り組みを表明している企業です。「人的資本経営」では、従業員をただの労働力として捉えるのではなく、企業・組織の重要な資産として位置づけています。

トップ自らが従業員の「学び」にしっかりとコミットして、従業員の能力開発や、知識・経験などの蓄積に力を入れています。

従業員には就業時間内の「学び」を奨励し、学びたいときにいつでも学べるよう、eラーニングなどを導入しています。「学び」のために予算もしっかりと確保し、それを「費用」ではなく「投資」と位置づけています。

そうすることで競争を勝ち抜き、持続的な成長を実現できる企業・組織にしていこうとしているわけです。

日本の上場企業では、2023年3月期決算以降、「人的資本」に関する情報開示が義務づけられました。人材への投資や育成の現状を有価証券報告書などで開示するというものです。

もし、みなさんの会社で同様の取り組みが（導入予定も含め）あるかどうか、調べてみるといいかもしれません。

所属している企業や組織が上場していない場合も多いと思います。その場合でも、組織の人事制度をはじめ、「学び」への取り組み方を観察してみると、その会社の意思や方向性が見えてくるはずです。

## ②「学び」に数値目標がある

従業員の「学び」の取り組みが進んでいる企業・組織は、その多くが具体的な数値目標を掲げています。

いつまでに何人が、どのようなスキルを身につけるのか。組織を挙げて具体的な目標を掲げているのはもちろん、目標達成の意欲は、中間管理職層まで徹底されています。

各部署では企業の目標を小さな目標に分けて設定し、その進捗度合いを小刻みにマネジメントしています。

管理者は、従業員同士や上司とのコミュニケーションを活発にして、チームワークの向上を図ろうとします。

ある企業では、「今年の秋までに、営業部におけるＩＴパスポート試験の合格者を７割以上にする」と目標を立てました。

関連する各部署でも、そのために取り組む従業員を定め、一人ひとりに「学ぶ」時間をどれほど確保するのか、計画を立て「学び」を奨励しました。

組織全体で「学び」が着実に進むよう体制を築いているわけです。

「学び」は、企業の評価制度にも組み込まれています。従業員個人がどれほど学んだのか、管理者は部下の「学び」をどれほど推し進められたのか。あらかじめ基準が設けられ、目標の到達度が評価されます。

さらに積極的な企業では、企業・組織が公式に提供する「学び」のための仕組みとは別に、従業員が自主的に「学べる」ようなサークルやコミュニティーを作ることも奨励します。「学び」が経営の仕組みにしっかりと組み込まれ、組織の隅々にまで浸透しているのが、進んだ企業といえるでしょう。

## ③社員に「自律」を促している

もう一つ、先進的な企業の大きな特徴が、従業員が「自律」することに力を入れていることです。

人生100年時代といわれる今、健康に働ける年齢も年々上がっています。企業を定年退職したあとも、多くの人は働き続けることになります。自分のキャリアは自分で考えなければなりません。

これは企業にとっても切実な問題です。日本では、人口減少にともない労働人口が減少する一方、新たな分野の事業が求められるようになります。既存の事業を見直したり、新規事業を起こしたり、大きく変化する環境に柔軟に適応しつつ、大胆に企業・組織を変えていく人材が求められています。

個人にとっては、生涯にわたる自分のキャリアを築いていくため、企業にとっては、新しい環境に適応して厳しい競争に生き残っていくために、自ら考え主体的に行動する――「自律」した人材が求められているのです。

自律型人材になることで、個人は企業から選ばれるようになり、成長機会を提供することで、企業は個人から選ばれるようになります。

こうして自律する個人と企業は「選び・選ばれる」対等な関係になり、お互いに切磋琢磨していく、というわけです。

トップから管理職層、現場の第一線まで、一貫して「学び」に取り組んでいる企業では、「学ぶ」文化が浸透し、従業員の自律を促す風土も培われています。多くの人が働きたいと集まってくるでしょう。

一方、「学び」の仕組みが経営戦略に紐づいておらず、現場も「学び」に対し否定的ないしは懐疑的で「学ぶ」風土や文化がない企業は、先ほどのHさんのように「従業員の成長に興味がない会社」と見限られていくでしょう。

# Udemy Businessから見えてくる、進んだ企業の取り組み

進んだ企業の「学ぶ」仕組みや制度について、より具体的に見ていきたいものの、取り組み方は企業によって大きく異なりますし、公開されている情報も限られています。そこで、法人向けサービスのUdemy Businessを通じて、先進企業はそれをどう使っているのか、「従業員に対して学び」をどう働きかけているのかを見ていきたいと思います。

Udemy Businessは、個人向けのUdemyで提供されている21万本以上の講座から、業務に関連の深い講座や、評価の高い講座が定額で学び放題となるサービスです。従業員は、講座を無料で受講することができます。

2024年春現在、採用する企業は1500社以上に及び、今もその数は増え続けています。

# 約１５００社の導入企業に見る三つの人材育成スタイル

Udemy Businessを採用している企業や組織は、大きく三つのタイプ・スタイルに分けられます。

一つ目は、たとえば資格取得など、企業が従業員に学んでほしいことが具体的にあり、それに関連する講座を集中的に従業員に提供する企業です。

「○○までに資格試験の合格者を何人出す」というような目標のもと、関連部署は従業員に「学び」を促します。

ストレートに言えば、従業員に学習させる「企業コミット型」というべきスタイルです。

二つ目は、反対に、従業員に自由に学んでもらうスタイルです。

どんな講座を選ぶのかも企業内で働く個人の自由、またどのようなペースで学習するのかも自由です。すべて従業員に任せるやり方です。「自由成長型」と呼ぶことにしましょう。

そして三つ目のスタイルが、「企業コミット型」と「自由成長型」とをミックスさせた「ハイブリッド型」タイプです。

特定の従業員には、仕事に不可欠なスキルを身につけてもらったり、資格を取ってもらうため、業務として学んでもらいますが、それ以外の分野については自由に学べたり、対象者以外の従業員は自分の裁量で自由に学ぶことができます。

多くの企業はこの「ハイブリッド型」として、Udemy Businessを導入するケースが多いようです。

どのスタイルにもよい点があります。企業の置かれた状態はそれぞれ違いますから、従業員に求める「学び」のスタイルもさまざまです。

# 企業内での「学び」を成功させる三つの要素

これまでたびたび「学びの三つの要素」を紹介してきましたが、ベネッセでは、特に企業や組織内で「学び」を成功させるために、次の三つの要素が重要と考えています。

①リスキリングが戦略として企画推進されている
②「ラーニングヒーロー（積極的な受講者）」を生み出す仕組みがある
③リスキリング文化が推進されている

## ①リスキリングが戦略として企画推進されている

企業内での「学び」を成功させるには、まず、トップ自らが「学び」にコミットしていることが欠かせません。

いつまでに何人の従業員のどんな能力をどこまで引き上げるのか、という「学び」の具体的な数値目標があり、各部署で「学び」を従業員に奨励することはもちろん、目標達成のための具体的な道筋も描いています。

トップから現場の第一線まで一貫した体制でリスキリングが進められ、それが企業の戦略として位置づけられているのです。

## ②「ラーニングヒーロー（積極的な受講者）」を生み出す仕組みがある

仕事でちょっとわからないことがあれば、「あの人なら知っている」と、上司や同僚だけでなく、部署を越えて気軽に教えてもらえる人が何人もいれば、心強いのではないでしょうか。

「Excelの○○についてはXさんに聞いてみよう」「冠婚葬祭のマナーはYさんに」と、いう情報が組織全体で共有できれば、Xさん、Yさんは組織内の立派なラーニングヒーローです。

Udemy Businessには、企業内だけで配信できる「内製講座」の仕組みがありますが、この「内製講座」の講師となる従業員もラーニングヒーローといえます。

資格制度を設け、その取得を目標としている企業もあります。資格取得者もまたラーニングヒーローであり、組織の変革や新規事業創設の核となっていくでしょう。ラーニングヒーローを発掘したり育成していくことで、組織内の情報交換が活発になり、組織に「学ぶ」文化が浸透していきます。

## ③リスキリング文化が推進されている

Udemy Businessのような「従業員は誰でも平等に無料で『学ぶ』機会が得られる」仕組みを導入すれば、それだけで従業員に、組織は「学び」に力を入れているというメッセージを送ることができます。

しかし、通常は、企業・組織が目指す「学び」と、従業員が望む「学び」とは必ずしも一致するとは限りません。

そこで、「企業・組織と個人をつなぐ」ことを組織の戦略として位置づける必要があります。

たとえば1on1ミーティングで、従業員は何をどう学びたいのか、企業・組織はどんなことを学んでほしいのか、話し合う時間を設けるようにします。

決して押しつけにならないよう、根気よく続けることで、思わぬところに個人と組織の接点が見つかり、かぜん、やる気を見せる従業員が現れるかもしれません。

新たなラーニングヒーローの登場です。

そんな事例を一つ作り、それをほかの部署へ広げていきます。あちらの部署にもこちらの部署にもラーニングヒーローが生まれていけば、その人が各部署での「学ぶ」文化の浸透役になっていくはずです。

# リスキリング アワードで見えてきた「学び」で進んだ企業の姿

ベネッセでは、２０２３年12月8日、第1回目の「Benesse Reskilling Award（ベネッセ リスキリング アワード）」を開催しました。

リスキリングを通じて企業変革をおこなったり、ビジネス上の大きな影響をもたらした取り組みやプロセスに光を当てることを目的とした賞で、審査で重視されたのは、次の３点でした。

①リスキリング戦略が企画推進されている
②事業や業務への課題・目的意識を持ったラーニングヒーロー（積極的な受講者）が生まれ、個の学びが組織に活かされる場がある
③リスキリング施策が推進され、従業員が学びたくなる文化づくり、場づくりがなされている

若干、言葉は違いますが、先の「企業内での『学び』を成功させる三つの要素」と同

じです。

「ベネッセ リスキリング アワード」にはUdemy Businessを利用している企業の中から45社が自薦・他薦含めてエントリーしました。各企業の取り組みを、外部有識者を含む審査員が審査した結果、45社のうち10社が「クリエイティブカルチャー賞」「イノベーティブストラテジー賞」「ベネッセ リスキリング アワード」を受賞しました。

今回はその中から、「ベネッセ リスキリング アワード」を受賞した富士通さんとリコーさんの事例を紹介します。

# 自ら新しい仕事へ挑戦する機会づくり
## ――富士通

経営戦略・事業戦略と人材育成施策が接続されていることが評価され、今回の受賞となったのが、富士通さんです。

同社は、2030年までにDX企業への転換を目指していますが、そのため現在、社内では「ジョブ型人材マネジメントの変革」が推進され、その中でも従業員が自らのキャリアを考えていく「キャリアオーナーシップ」が強力に推し進められています。

「1on1ミーティング」で上司と部下がコミュニケーションを密にとることから始め、「キャリアcafe」などにより、自らのキャリアを考える機会を作っています。

また、社員が自ら手をあげて希望の部署に就くジョブポスティングの範囲を大幅に広げ、従業員が新しい仕事へ挑戦する機会を増やしました。

実際に過去3年間で、2万名以上がポスティングへ応募し、7500名以上が異動を実現しました。

目指したい仕事をするためにどのようなスキルが求められているのか。そのための学習カリキュラムの整備も進められ、Udemy Businessでの学習時間は3年で3・2倍に増加しました。

## お客様に多様な価値を提供するため、全社員のデジタル人材化を目指す——リコー

リコーさんは、全社的なデジタル人材育成の施策の浸透が評価され、今回のリスキリング アワードの受賞となりました。

オフィスでのサービス提供で知られるリコーさんですが、現在、同社は「OAメーカーから、デジタルサービス会社へ」と大きく変わることを目指し、あらゆる仕事の現場、一般社会にまで領域を広げて、多様な価値を提供しようとしています。

社内では、大きな改革が進められており、その中の一つが、デジタル分野の教育制度の拡充です。

同社では、全社員がデジタル人材となるため、2022年春に「リコーデジタルアカデミー」も開校しました。基礎教育から専門的能力強化研修まで網羅しています。その手段の一つとして、社員が自律的に学べるUdemy Businessが活用されています。

重点スキル領域を明確化し、社員個々のスキルや専門性向上を図った結果、2022

年度では、２０２０年度比で50％増の約２２００名が有資格者となりました。

自律的な社員による学びを全社を挙げて支援し、自律的なキャリア形成につなげる。そうして働くことに喜びを紐づけていく。同社ではそんな企業風土の醸成にも力を入れています。

# 人事評価軸と学びの習慣を相関的に分析したデータ

Udemy Businessの活用方法は、ほかにもあります。

ある企業では、従業員の学び方と、仕事の評価がどれほど関連しているのかを調査しました。

従業員がUdemy Businessで、

・いくつのコースを登録しているのか（登録コース数）
・どれほどの頻度で使っているのか（アクティブ日数：学ぶ頻度）
・どれほどの時間、学習しているのか（学習時間）

という、三つの「学び方」と、従業員の人事評価――最高評価、高評価、標準、低評価、その他の5群との関連を調べたのです。

最高評価を得た人たちは、きっとたくさん学んでいるに違いない。その想像は確かに当たっていましたが、たくさん「学ぶ」ための方法もはっきりしてきました。

まず、学習傾向を見ると、最高評価群は、登録コース数よりも際立って、アクティブ日と学習時間が多い傾向がわかりました。また、受講コースの進捗度も高く、選んだコースを着実に進めていました。

これは想像通りといえそうですが、意外なのは、選ぶコースの合計時間が、ほかの評価群よりも短い傾向があったことです。

つまり、最高評価群は、あらかじめ短時間のコースを厳選し、そのコースを着実に集中して学習することで、トータルの学習時間が長くなっていました。

一方、低評価群は、登録コース数が多く、一つのコースの合計時間も長い傾向が見られ、各コースの進捗率は低い傾向が出ました。

つまり、勉強するつもりで長めのコースを選んだものの、やりきれずに、結果的に学習時間が短くなってしまったようです。

学習時間帯を調べると、この企業では、評価や役職に関係なく、全般的に金曜日の16時台にUdemy Businessを利用することがわかりました。同社では、曜日や時間を決めて学ぶ、ラーニングカルチャーが醸成されているようです。

さらに、その中でも最高評価群は、この共通の時間に加え、平日や土曜日の午前中にも「学び」を習慣化している傾向がわかりました。

つまり、組織が「学ぶ」風土を醸成して従業員の学習習慣を後押しし、従業員が適切に学べる仕組みを作ることで、従業員が学びを業務に還元するサイクルを作ることの重要性が明らかになりました。

ただ、大人の「学び」については、まだまだ知られていないことは数多くあります。Udemy Businessを導入すると、自社の従業員の学習傾向が可視化され、豊富なデータが集まります。データの裏づけのある、確かな「学び」の施策を企業や組織が提供することで、従業員の学ぶ習慣が促進され、「学び」が可能になるでしょう。

## 「ひとの学びで、地域は進む」——全国自治体リスキリングネットワーク

企業だけでなく全国の自治体でも、Udemy Businessの採用は広がっています。

地域産業を振興させたいが、人口減少や高齢化で労働力は不足している……。人材不足解消のため、業務のデジタル化を進めたい。これは、全国の自治体で求められていることです。

実際に各自治体では、ＩＴ人材を獲得したり、職員のＤＸスキル研修をおこなうなど、リスキリングに力を入れており、そこで活用されているのがUdemy Businessです。

ベネッセは、自治体職員がUdemy Businessで学ぶことで、自治体のもつ課題を解決できるのではと考え、２０２１年に「ＤＸ人材育成に関する実証研究」を実施しました。

実証研究には、全国31の自治体が参加し、３カ月間、各自治体の職員にUdemy

Businessを使った行政ＤＸ人材育成プログラムを受講していただきました。

その結果、参加した自治体の約7割でＩＴ技術への理解やＤＸが進み、「ＤＸ施策検討につながった」という回答を得ることができました。

一方で、実証研究に参加した31自治体の職員１３７８名を対象に、ベネッセが実施した「『行政・自治体のＤＸ推進の現状・課題』に関するＷＥＢアンケート調査」では、回答者の約9割が「部門や職員によってＩＴ知識に差があり、話を進めるのが難しい／話を進めるのに時間を要する」「ＤＸといっても何から学べばいいのか、どう学べばいいのかわからない」と回答しました。

ベネッセでは、調査後も継続的なヒアリングを各自治体におこない、その結果、どの自治体でも、ＤＸ人材育成について同じような課題を持っているものの、それを共有したり、先進事例を知る機会がないことがわかってきました。

そこで、私たちは自治体間で情報交換ができるプラットフォームづくりが必要であると考え、２０２３年5月、※「全国自治体リスキリングネットワーク」を立ち上げました。日本初（自治体間のリスキリング推進に関するネットワークとして。２０２４年4月23日現在。ベネッセ調べ）の自治体の人材育成に特化したコミュニティーで、Udemy

Businessを採用していない自治体でも参加が可能で、２０２４年春現在、全国１００以上の自治体が参加しています。

２０２４年春現在、Udemy Businessは県庁の約４割、全国60以上の自治体や団体で導入されています。自治体に特化したプラットフォームの運営を通して、全国の自治体や中小企業でのＤＸ推進、市民のリスキリング支援をいっそう強化しています。



※全国自治体リスキリングネットワーク

# 住民へのサービスレベル向上につながった事例――東京都世田谷区

Udemy Businessで職員が学び、実務に活かしている自治体の例として、東京都世田谷区を紹介します。

同区が住民向けに提供している保育施設検索ナビ「保育所探しのWebサイト」（区公式LINE上のコンテンツ）は、Udemy BusinessでPower BIのデータ可視化のスキルを習得した職員が、従来の同区のアプリを大幅に改善して作り上げました。

テキスト情報がメインだったものを、マップから条件検索をできるようにするなど、視覚に訴える作りにして、住民の使い勝手を大きく向上させました。

個人の「学び」により、既存の事業を改善したり、新規事業を生み出したり、そんな大きな例が注目されがちですが、一つひとつのサービスレベルを向上させていく着実な成果も見逃せません。

特にこのように成果が目に見える形になれば、自治体の中での「学び」がより促進され、住民へのサービスレベルや市民の暮らしは、よりよいものになっていくでしょう。

地域全体が、「学び」をきっかけに向上していく、発展していく。そんな大きな好循環も生まれていきます。

＊　＊　＊

このように、学ぶ意欲があり、成長する個人を応援・支援する組織は、官民問わず、日本社会の中で増えてきています。ご自身の身近にも、そういった組織や環境がないかぜひ探していただきたいですし、万が一まだない場合は、この本を手に取ってくださったあなた自身が、その起点になってみてもいいのかもしれません。

私たちベネッセは、そういう行動を起こしたい・起こそうとする個人や組織を、今までも応援してきましたが、今後もそうした方々に寄り添い、応援・支援し続ける存在でありたいと思っています。

# 地域の中小企業や求職者にも「学び」を提供――鳥取県

### ▼中小企業と求職者のための「オンライン学習受講促進事業」

鳥取県でも、Udemy Businessを活用したユニークな事業が進んでいます。

鳥取県では、2021年度から開始した「オンライン学習受講促進事業」により、県内の中小企業や、仕事を探している個人が、Udemy Businessを自由に使えるようにしました。

インターネットの環境があれば、いつでもどこでも学べるオンライン教育の利点を活用し、県内企業や求職者のリスキリングを支援しようという狙いです。

事業を始めたきっかけの一つが、新型コロナウイルスの感染拡大でした。

鳥取県ではこれまで、県内の中小企業や求職者を対象にした研修を開催してきましたが、講師を招聘しておこなう集合型のものが主でした。

しかし、コロナ禍においては、会議室や教室に受講者に集まってもらうことや、地域外から講師を招くことが難しくなりました。

それでも「学びたい」というニーズは強くあります。そこで着目したのがオンライン学習でした。

もう一つのきっかけが、ＤＸの推進です。

テクノロジーの進化や、人手不足が深刻になる中、県内企業の業務をデジタル化し、生産性向上を図ることは鳥取県でも大きな課題でした。特に同県では、中小企業のＤＸの浸透へ力を入れていました。

しかし、ひと口に新たなデジタル技術といっても、会社ごとにニーズは異なります。各社の細分化したニーズにどう応えていくか、県の事業課題としてあがっていました。

そういった背景の中で、多くのコンテンツを持ち、オンラインで学べるサービスはないかと探していたときに出合ったのが、Udemy Businessでした。Udemy Businessには、幅広い分野のデジタル技術の講座が揃っています。また、講座のレベルも豊富なのでしっかりと応えることができます。地方にいても、学ぶことにハンデはありません。

こうして「オンライン学習受講促進事業」を始めましたが、当初はオンライン講座そのものがなかなか理解してもらえず、普及に苦労したそうです。しかし、それから3年が経過した現在、活用は着実に広がっています。

実際、事業を始めてみると、DXの浸透など会社が意図した効果ばかりでなく、「従業員が仕事に対して前向きな姿勢を見せるようになった」と、副次的な成果を指摘する声が数多く聞かれるようになりました。また、従業員自らが学び、それにより興味が広がり、新たなことを学び始める。そんな循環も生まれているそうです。

目的だった従業員のスキルアップが実現するだけでなく、従業員の主体性も育成できた。社内に、新しいことに挑戦する文化が定着し、実際に新規事業を始めた。そんな企業も現れています。

## ▼オンラインとリアルの研修で学びの継続と人脈づくりに期待

鳥取県では、就職を目指して新たなスキルを身につけたい個人に対しても、Udemy

で学ぶ機会を提供しています。

「やりたい仕事があるけどスキルが足りない」という方を対象に、ハローワークはもちろん、地域単位で職業訓練や就職支援をおこなっている民間教育訓練機関と連携し、Udemyを活用したスキルアップと就職サポートの二つの支援をおこなう仕組みを構築しています。

現在の自分のスキルと、希望する仕事に必要なスキルとを比較して、キャリアコンサルタントの助言をもとにUdemy講座を選べる形です。

一般的なビジネススキルはもちろん、ＯＡスキル、デザインスキル、高度なプログラミングスキルなどを習得した結果、希望の職種への就職が可能になった方も複数いらっしゃいました。

オンライン学習なら、育児や介護などで集合研修に出るのが難しい方、従来型の職業訓練に参加できない方にも学んでもらいやすいというメリットがあります。今後も、なかなか外に学びに行けない方へ学習の機会を提供する選択肢として、オンライン学習をおすすめしたいと思います。

一方で、オンライン学習では、その進行を学ぶ本人に任せがちになり、孤独を感じ、学びが続かない理由の一つにもなっています。

そこで鳥取県では、オンラインとリアルタイムを組み合わせた研修も新たに取り組み始めています。

リアルタイムのオンライン講座を組み込むことで、本人任せになりがちなオンライン学習の進捗を促すとともに、ワークショップなどを通じたアウトプット機会を作ることで学習効果を高めることが狙いです。

また、同研修に参加する企業同士のグループワークで生まれたつながりから、学びの仲間が生まれモチベーションの維持につながっています。こうした学びを起点としたつながりをきっかけに、地域全体に「学ぶ」文化が広がり、地域の力が高まることを期待しています。

# おわりに

この本を手に取り最後まで読み進めていただき、誠にありがとうございました。読んでいただいた方にとって、少しでも学びだすヒントや、学び続ける背中を後押しすることができたのであれば、うれしい限りです。

Improving Lives Through Learning（学びを通じて、人生を豊かに）。これはUdemy社が創業以来大切にしているコンセプトで、私たちベネッセの「よく生きる」という企業理念とも重なるものです。

この本の中でもご紹介させていただいた事例の多くが、まさに学びを通じて、人生をより豊かにしているエピソードだったと思います。それらは、今いる組織の中での役割や、活躍の場を広げる事例から、大胆にキャリアシフトを繰り返していく事例まで、小さな変化の積み重ねが大きな変化につながっていました。またときには、今の少しつらい状況を変えるための学びの事例もあったりと、その目的と結果、そして「学び方」のプロセスも多様であることが感じ取れたと思います。

一方で、現在の状況に満足していて、今の現状を特段変えたくないと感じるときもあると思います。でも実は、「現状維持」をしたいと思うことこそが、「学びに向かうべきサイン」でもあります。世の中が変化し続ける中で、変わらず生きていこうとするならば、自分自身が変わり続ける必要があります。変わらず生きるために、この本の中で紹介させていただいた「学び方」をぜひ参考にしていただきたいと、切に願っています。

こういった挑戦エピソードは日々生まれ続けており、それらを見聞きできるこの仕事に携われることは、この上なく幸せなことであると同時に、こういったエピソードをより広めていく責務があると痛感しています。このたびの本書刊行は、その挑戦の一環であり、今後もさまざまな形で社会発信を続けていきたいと思っています。

結びに、この本を上梓するにあたり、ラグビー元日本代表の廣瀬俊朗さんとお話をさせていただいた際のエピソードをご紹介します。私自身、高校・大学とラグビーをプレーしてきたため、廣瀬さんの言葉には大変感銘を受けました。それは、学び続ける大人であるためには、「学び」の成果だけに捉われるのではなく、そのプロセスを通じて自分の中に価値観を持てるかどうかが大切だ、ということです。

もちろん、目的やゴールを達成することを思い描きながら努力を続け、成果を出すことは重要ですが、ときにはその目的やゴールが未達に終わったり、満足に至らない成果でとどまったりすることもあります。多くの場合は、思い通りにならないことのほうが多いと思います。そうなったときにこそ、「学び」を含めた努力の費用対効果を、単に成果だけで測るのではなく、プロセスからの気づきも含めて測っていただくことをおすすめします。

「学び」は積み重ねていくことで、次に学びたいこともはっきりしてきます。ぜひ、みなさんならではの「ラーニングジャーニー（学びの旅路）」を楽しみ、持続させるためにも、プロセスも大切にしてください。そして、これらの学びがみなさんの「人生を切り拓く力」となり、人生が思いもよらない、よりすばらしい方向に発展していくことを願ってやみません。

＊　＊　＊

最後に、この本を制作するにあたり、たくさんの方々に助けていただきました。まず、ダイヤモンド社および出版プロジェクトチームの和田史子さん、佐藤寛久さん、古村龍也さん、山本明文さん、小山桂甫さんには、なかなか筆の進まない私を多方面からサポートしていただき、本当にありがとうございました。次に、リスキリングのインサイト調査においては、デコムの皆さんにご協力頂いたからこそ、顧客解像度を上げることができたため、御礼申し上げます。また、ベネッセコーポレーションの土屋美寿々さん、作田美耶子さん、中村円香さん、古島和弥さんを中心に、書籍出版を後押ししサポートしてくれたメンバーのみなさんに感謝しています。そして、公私にわたりいつも支えてくださる社内外の同志のみなさんと、もっとも身近に心の支えになってくれている家族にも、感謝を伝えたいと思います。

「最高の学び方」は、常に変わっていくものです。ぜひ変わることを恐れず、変わることも楽しみ続けましょう。ぜひまたどこかで、みなさんのラーニングジャーニーを伺うことを楽しみにしています。

2024年春

飯田 智紀

MEMO

MEMO

［著者］
**飯田智紀**（いいだ・とものり）
株式会社ベネッセコーポレーション　執行役員
社会人教育事業領域担当（Udemy日本事業責任者）

ソフトバンクグループ株式会社にて経営企画・グループ会社管理、事業再生・国内外投資業務などに従事したのち、2015年9月にベネッセコーポレーション入社。
2018年4月よりUdemy（ユーデミー）事業を中心とした社会人向け教育および組織開発関連事業の責任者となり、2024年4月より現職。

何から始めればいいかがわかる
**最高の学び方**

2024年４月23日　第１刷発行

著　者――飯田智紀
発行所――ダイヤモンド社
〒150-8409　東京都渋谷区神宮前6-12-17
https://www.diamond.co.jp/
電話／03･5778･7235（編集）　03･5778･7240（販売）
装丁&本文デザイン―金井久幸（TwoThree）
カバーイラスト―芦野公平
DTP―――桜井 淳
製作進行――ダイヤモンド・グラフィック社
執筆協力――山本明文
編集協力――古村龍也（クリーシー）
印刷／製本―ベクトル印刷
編集担当――和田史子、佐藤寛久


ISBN 978-4-478-11957-0